Irina Korschunow
Die Sache mit Christoph

Irina Korschunow stammt aus einer deutsch-russischen Familie. Sie ist in Stendal geboren und aufgewachsen, hat Germanistik in Göttingen studiert und lebt heute bei München. Zu ihren Veröffentlichungen gehören Erzählungen, Feuilletons und Glossen ebenso wie Romane für Erwachsene. Als Kinderbuchautorin wurde sie zunächst durch ihre ›Wawuschel‹-Bücher bekannt. Neben weiteren Kinderbüchern, u. a. ›Hanno malt sich einen Drachen‹, den ›Steffi‹-Bänden, ›Der Findefuchs‹ und ›Wuschelbär‹ schrieb sie auch drei Jugendbücher, die zeitnahe Probleme behandeln: ›Er hieß Jan‹, das vorliegende Buch und ›Ein Anruf von Sebastian‹. Viele Bücher der angesehenen Autorin wurden mit Preisen bedacht und standen in der Auswahlliste zum Deutschen Jugendliteraturpreis. In letzter Zeit ist Irina Korschunow besonders durch Bücher für Erwachsene hervorgetreten. Für ihr Gesamtwerk erhielt sie die Roswitha-Gedenkmedaille, den Literaturpreis der Stadt Gandersheim.

Weitere Titel von Irina Korschunow bei dtv junior: siehe Seite 4

Irina Korschunow

Die Sache mit Christoph

Deutscher Taschenbuch Verlag

Zu diesem Band gibt es ein Unterrichtsmodell, enthalten in
LESEN IN DER SCHULE (Sekundarstufe), unter der
Bestellnummer 8102 durch den Buchhandel oder den Verlag
zu beziehen.

Von Irina Korschunow sind außerdem bei <u>dtv</u> junior
lieferbar:
Hanno malt sich einen Drachen, <u>dtv</u> junior Lesebär 7561
Der Findefuchs, <u>dtv</u> junior Lesebär 7570
Für Steffi fängt die Schule an, <u>dtv</u> junior Lesebär 7558
Kleiner Pelz, <u>dtv</u> junior Lesebär 75053
Kleiner Pelz will größer werden, <u>dtv</u> junior Lesebär 75003
Wuschelbär, <u>dtv</u> junior Lesebär 7598
Es muss auch kleine Riesen geben, <u>dtv</u> junior Lesebär 75050
Wuschelbär hat keine Lust, <u>dtv</u> junior Lesebär 75054
(erscheint September 2001)
Die Wawuschels mit den grünen Haaren, <u>dtv</u> junior 7164
Neues von den Wawuschels mit den grünen Haaren,
<u>dtv</u> junior 70003
Es war doch ein schöner Tag, <u>dtv</u> junior 70193
Steffi und Muckel Schlappohr, <u>dtv</u> junior 70486
Das große Wawuschel-Buch, <u>dtv</u> junior Klassiker 70601
Er hieß Jan, <u>dtv</u> pocket 7823
Ein Anruf von Sebastian, <u>dtv</u> pocket 7847
… und bei <u>dtv</u>: Glück hat seinen Preis, <u>dtv</u> 10591

Bearbeitete Neuausgabe nach den Regeln der
Rechtschreibreform
23. Auflage August 2001
1980 Deutscher Taschenbuch Verlag GmbH & Co. KG,
München
www.dtvjunior.de
© 1978 Benziger Edition im Arena Verlag, Würzburg
ISBN 3–545–32154–1
Umschlaggestaltung: Jorge Schmidt und Tabea Dietrich
Umschlagbild: Sabine Lochmann
Gesetzt aus der Garamond 10/12·
Gesamtherstellung: Kösel, Kempten
Printed in Germany · ISBN 3–423–07811–1

1

Heute haben wir Christoph begraben.

Nein, nicht wir.

Sie haben ihn begraben.

Ich war nicht dabei.

In die Kirche bin ich noch gegangen. Sie liegt oben auf einem Hügel, mitten zwischen den Gräbern, eine kleine weiße Dorfkirche mit rundem Turm und einem Altarbild ganz in Rosa und Hellblau, von dem Christoph einmal gesagt hatte, dass es sicher ein Gemeinschaftswerk des Oberrieder Jungfrauenvereins sei.

Jetzt stand sein Sarg vor dem Bild.

Die Beerdigung sollte um elf anfangen. Kurz vor elf, als ich kam, war die Kirche schon voll. Das halbe Dorf war da, und die Schule natürlich: unsere Klasse, die Parallelklassen, fast sämtliche Lehrer. Die meisten wohnen nicht in Oberried. Sie waren zusammen mit der Bahn herausgefahren, wie bei einem Schulausflug, und eine halbe Stunde zu früh eingetroffen. Ich bekam keinen Platz mehr und musste stehen. Ich stand an der Wand und sah sie in den Bänken sitzen, einen neben dem andern, die Göbler, Mathe-Mayer, Bio-Mayer, Hansen, den Musiklehrer... Nur der Hansen hatte Christoph gemocht, die anderen nicht, und ich konnte sie kaum aushalten mit ihren dunklen Kleidern und diesen passenden Gesichtern dazu. Der dicke

Morgenfeld bekam es sogar fertig, unglücklich auszusehen. Vor ein paar Tagen hatte er noch zu Christoph gesagt: »Das Leben wird Ihnen schon genug blaue Flecken verpassen, Sie arroganter Kerl, und weiß Gott, die gönne ich Ihnen.«

Dass er es überhaupt gewagt hatte herzukommen, nach allem, was geschehen war. Er hätte in die Schule gehen sollen, er und die anderen, vor allem die Göbler, bei der wir im letzten Jahr Deutsch hatten und die wenigstens ehrlich genug war keine Trauermiene aufzusetzen. Niemand von denen hätte kommen dürfen, auch die Klasse nicht. »Die Meute« hatte Christoph sie genannt, obwohl sie ihn nicht gehetzt hatten, weil es nicht ging, weil sie sich nicht rantrauten. Nur Ulrike hätte dabei sein dürfen, Ulrike und ich. Aber da saßen sie und glotzten auf den Sarg und ich biss mir die Lippen kaputt, weil ich es nicht aushalten konnte, dass sie ihn anstarrten, den braunen Sarg mit Christoph darin, und sich vorstellten, wie er aussähe, vielleicht in einem weißen Hemd und die Hände gefaltet. Ja, so war es, ich hielt es nicht aus. Ich hatte noch nicht begriffen, dass sie ihm nichts mehr antun konnten. Dass er tot war. Nein, das hatte ich noch nicht begriffen.

Ich stand an der Wand und machte die Augen zu und machte sie wieder auf, weil ich keine Show abziehen wollte. Dann fing die Musik an. Drei Geigen und das Cello vom Schulorchester. Jemand schluchzte. Bestimmt Christophs Mutter. Sie tat mir Leid. Sie war klein und dünn und schüchtern, so eine von diesen grauen Mäusen, und jetzt musste sie vor der ganzen Versammlung schluchzen. Die Musik klang furchtbar. Ulrike hatte ihre Geige einen Viertelton zu hoch gestimmt und griff dauernd daneben. Ich hatte ihr gleich gesagt, dass sie es sein lassen sollte. Das hältst du nicht aus, hatte ich gesagt. Aber die anderen hatten sie gedrängt, weil außer ihr niemand das schwierige Solo spielen konnte, und vielleicht wollte sie es auch für Christoph tun. Weil sie genau wie ich noch nicht begriffen hatte, dass er nichts mehr brauchte.

Als sie endlich aufhörten, kam Pater Aurelius, einer der drei Franziskaner-Mönche vom Kloster. Wenn er Zeit hat, arbeitet er im Klostergarten. Wir kaufen unser Gemüse bei ihm. »Was Sie geben wollen«, sagt er, wenn man nach dem Preis fragt.

Daran musste ich denken, als er vor den Sarg trat. Ich konnte es nicht mehr aushalten, ich bin weggelaufen. Draußen schien die Sonne. So ein Föhntag, an dem die Berge fast bis an den Dorfrand rücken. Christoph hatte das gern. Bei Föhn sind wir oft zum Friedhof gegangen, dem höchsten Punkt im Dorf und nicht weit von unserem Haus. Neben der Kirche ist eine Bank. Dort haben wir gesessen und geredet. Der Föhn und die Berge – das brachte Christoph zum Reden.

Und jetzt sollte er an einem Föhntag beerdigt werden.

Ein Föhntag im September. Es war sehr warm, wie oft bei uns in dieser Jahreszeit, aber auf den Bergen lag schon Schnee. Nach Weihnachten hatten wir zusammen Ski fahren wollen: Christoph und ich. Und Ulrike, klar, die gehörte ja zu uns, das heißt, eigentlich zu Christoph. Und jetzt sollte er beerdigt werden.

Ich ging an den Gräbern vorbei, dorthin, wo das neue ausgehoben worden war. Der Mesner und der alte Reischel räumten gerade die Bretter weg, die sie zum Schutz über die Grube gelegt hatten.

Der alte Reischel hob den Kopf, als ich kam, sagte aber nichts. Sein Gesicht war rot angelaufen, wie immer, wenn er betrunken ist.

»Warum bist du nicht in der Kirche, Martin?«, fragte der Mesner. Er wischte sich mit der flachen Hand den Schweiß von der Stirn und rieb die Finger an der Hose trocken.

Ich trat an das Grab und sah hinein.

Ein dunkles Loch, schmal und tief. Der Boden und die Seitenwände glänzten lehmig. Unten rannte eine Maus hin und her: eine kleine graue Maus. Sie rannte von einem Ende zum andern, vor, zurück; vor, zurück.

Der alte Reischel nahm eins der Bretter und wollte es senkrecht in die Grube stoßen.

»Nein!«, schrie ich.

Ich höre mich noch schreien. Es war still, nur ein bisschen Wind, und dann meine Stimme. Noch nie habe ich meine Stimme so deutlich gehört.

»Warum denn nicht?«, fragte der alte Reischel. »Ist doch bloß eine Maus.«

Da begriff ich, dass Christoph tot war.

Ich fing an zu laufen. Ich lief und lief, den Friedhofsweg hinunter, über die Dorfstraße, an den Bauernhöfen vorbei, bis zum Fluss. Auf der Brücke blieb ich stehen. Es gibt zwei Brücken im Dorf, die große an der Bundesstraße, die den Hurler Berg hinauf zum Bahnhof führt, und diese Holzbrücke für Fußgänger und Radfahrer. Sie ist alt und knarrt, wenn man darüber geht – als kleiner Junge hatte ich jedes Mal Angst, sie könnte zusammenstürzen. Der Fluss wird an dieser Stelle von Gebüsch und Bäumen gesäumt, und die Blässhühner versammeln sich hier, die Enten und Haubentaucher. Als wir nach Oberried gezogen sind, im März vor sieben Jahren, war ich gerade neun geworden und hatte zum Geburtstag ein Schlauchboot bekommen. Mit dem bin ich hier bei der Brücke herumgepaddelt und habe Nester gesucht, stundenlang, bis meine Mutter mit dem Rad angefahren kam und mich holte. Ich weiß noch, wie es roch damals im April, ein bisschen brackig und nach Erde und frischem Holz. Auf dem Heimweg erzählte ich ihr dann von den Jungen, die ausgeschlüpft waren, von den roten Schnäbeln der Blässhühnerküken, von den Nestern im Gestrüpp, von allem, was ich gesehen hatte. Damals konnten wir noch miteinander reden.

Irgendwann hat es aufgehört.

»Es liegt an diesem Christoph«, sagten meine Eltern. »Der hetzt dich auf.«

Aber das stimmte nicht. Es war schon so, als Christoph kam, das wollten sie nur vergessen. Er war der Einzige, mit dem ich reden konnte. Ohne ihn hätte ich durchgedreht.

Dabei mochte meine Mutter ihn. »Ein intelligenter, sensibler Bursche«, sagte sie und ließ ihn bei uns Klavier üben, als sein Vater ihm nur noch eine Stunde am Tag erlauben wollte. Nur für mich, da wünschte sie sich einen anderen Freund, einen »normalen, netten Jungen, keinen, der noch überspannter ist als du«.

Tatsächlich, das hat sie gesagt. Und vor vierzehn Tagen, als alles anfing, als Christoph eine ganze Woche verschwunden blieb, da wollte sie mich in ein Internat schicken – »weg von diesem Einfluss«.

Das braucht sie nun nicht mehr.

Die Glocke fing an zu läuten. Jetzt trugen sie ihn zu seinem Grab. Mops, Olav, Yogi und zwei andere. Nein, drei. Einer hatte für mich einspringen müssen, weil ich weggelaufen war.

Ich legte den Kopf auf das Brückengeländer und fing an zu heulen.

Später lief ich die Böschung hinunter und setzte mich ins Gras. Von hier aus konnte ich die Brücke sehen. Ich wartete auf Ulrike.

Sie kam als Letzte, ganz allein.

Ich pfiff, als sie über die Brücke ging. Unser Pfiff, Christophs, meiner, dann auch ihr Pfiff.

Sie blieb stehen.

»Da bist du ja«, sagte sie, als ich die Böschung heraufgeklettert war.

Ihr Gesicht war vom Weinen verschwollen, ihre Nase rot. Früher, in der ersten Klasse vom Gymnasium, als sie noch bei jeder Gelegenheit heulte, hatte sie so ähnlich ausgesehen. Ich erinnerte mich plötzlich daran und dann fiel mir ein, dass mein Gesicht wahrscheinlich genauso aussah. Ich drehte den Kopf weg.

Schweigend gingen wir nebeneinander her.

»Der Direx hat am Grab gesprochen«, sagte sie nach einer Weile.

»O Gott«, sagte ich.

»Es war gar nicht so schlimm. Es klang irgendwie echt.«

Ich antwortete nicht.

»Vielleicht hat Christoph sich das bloß eingebildet«, sagte sie. »Dass ihn alle nicht mögen ... nicht mochten.«

Sie fing an zu weinen, lautlos, nur die Tränen liefen ihr übers Gesicht.

Ich nahm ihre Hand. Erst, als wir vom Fluss abbogen und ihr Haus auftauchte, merkte ich es und ließ die Hand los.

»Hast du noch Zeit?«, fragte sie. »Meine Mutter ist nicht da, sie hat heute länger Schule.«

Wir setzten uns in Ulrikes Zimmer. Sie machte

das Fenster auf. Warme Föhnluft wehte herein, draußen bimmelten die Kühe. Ulrike wohnt mit ihrer Mutter hinten im Dorf, in einem ehemaligen Bauernhaus.

»Weißt du, woran ich denke?«, sagte Ulrike. »Ich überlege, ob Christoph jetzt, wenn er wüsste, dass er tot ist – ob er dann wohl froh wäre?«

Ich verstand, was sie meinte.

»Tot müsste man sein«, hatte Christoph am Sonntagabend gesagt, bevor es passiert war. »Schluss mit dem ganzen Zoff, nicht mehr aufstehen, nicht mehr zur Schule, nicht mehr antworten auf blöde Fragen, nichts mehr zu tun haben mit dieser dreckigen Welt ...«

»Und auch keine Musik mehr hören?«, war Ulrike ihm ins Wort gefallen, mit so einer schrillen Stimme, ganz anders als sonst.

Er hatte sie angesehen und gesagt: »Ach, das ist doch alles bloß Ablenkung. Oder Ersatz.«

Er hatte sie angestarrt und sie ihn, und ich wusste, dass sie beide etwas anderes meinten. Er hatte dieses Lächeln im Gesicht gehabt – die Augen zusammengekniffen, die Zähne auf der Unterlippe.

Ulrike hatte mir Leid getan; ich hätte Christoph gern geschüttelt oder mich mit ihm geprügelt, weil ich nicht wollte, dass er sie so behandelte. Aber mit Christoph konnte man sich nicht prügeln, ich schon gar nicht.

Und jetzt war er tot.

Ulrike stand auf.

»Magst du was essen?«, fragte sie.

Ich nickte; sie ging in die Küche und kam mit Tee und einem Teller voll belegter Brote zurück. Wir saßen uns gegenüber und aßen. Auf den Broten war Schinken und Leberwurst und Käse. Ich hatte Hunger, und es schmeckte mir, vor allem der gekochte Schinken. Als ich nach der dritten Brotscheibe greifen wollte, schämte ich mich. Ulrike schob mir die Platte hin und sagte: »Der Schinken ist von unserem Bauern.« Da aß ich weiter. Wir saßen uns gegenüber, wir kauten und tranken, die Kuhglocken bimmelten vor dem Fenster, es war irre und irgendwie friedlich – ich weiß nicht, wie ich es nennen soll. Ich hatte so ein Gefühl von Stillstand, als ob die Zeit nicht weiterliefe – wie bei Bob Dylan, wenn die gleichen Akkorde immer wiederkehren und man darin eingewickelt wird wie für alle Ewigkeit. Ich fand es schön, dass es so war, am liebsten wäre ich für immer in diesem Zimmer sitzen geblieben.

Aber dann kam Ulrikes Mutter und sagte: »Ach Gott, hier seid ihr ja. War's schlimm?«

Da ging ich nach Hause.

2

Eigentlich war es dieses Lächeln – abweisend, hochnäsig, kühl –, das mir zuerst an Christoph gefallen hat, im letzten Januar nach den Weihnachtsferien, als der dicke Morgenfeld ihn mit in die Lateinstunde brachte.

»Das ist Ihr neuer Mitschüler«, sagte er. »Christoph Zusbeck.«

»Zumbeck«, sagte Christoph.

»Zumbeck«, wiederholte der dicke Morgenfeld. »Er kommt aus – wo kommen Sie eigentlich her?«

»Aus Leer«, sagte Christoph.

Ausgerechnet Leer in Ostfriesland. Meine Mutter stammt aus Leer. Ihre Großeltern hatten dort ein Hotel, das jetzt meinem Onkel gehört.

»Leer? Wo liegt das?«, erkundigte sich Morgenfeld.

Klar, dass der nicht wusste, wo Leer liegt. Der kennt die lateinische Grammatik und das Forum Romanum und fünfundzwanzig Biersorten und von Ostfriesland höchstens die Witze.

Christoph antwortete nicht gleich. Er sah über die Klasse hinweg, auf das Kruzifix in der Ecke, durch das Fenster auf den Parkplatz. Dann blickte er den dicken Morgenfeld an und lächelte.

»An der Leda«, sagte er.

»Leda?«, fragte der dicke Morgenfeld. »Welche? Die mit dem Schwan?«

Dazu grinste er, vermutlich, weil er die dämliche Leda mit ihrem Schwan für eine Art Sexwitz hielt.

Christoph sagte nichts. Er lächelte nur und der dicke Morgenfeld wurde verlegen. Er lief rot an, von der Stirn bis zum Doppelkinn. Ich glaube, er begriff, dass Christoph auf diese Antwort gewartet hatte.

»Setzen Sie sich irgendwohin«, murmelte er.

Der Morgenfeld ist so eine kleinkarierte Durchschnittsmischung, gutmütig, hinterhältig, schmierig, wehleidig, hilfsbereit, rachsüchtig, brutal, ganz nach Bedarf. Mir hat er mal, weil ich eine Bananenschale an den Schulweihnachtsbaum in der Pausenhalle gehängt habe, einen verschärften Verweis gegeben. Wegen Verächtlichmachung der Religion, das sagt alles. Man braucht nicht lange um dahinter zu kommen, was mit ihm los ist, und einer wie Christoph merkte es auf Anhieb. Deshalb sagte er »an der Leda«, deshalb lächelte er sein »Zumbeck-Spezial«, wie es die Göbler später nannte, deshalb machte er sich den dicken Morgenfeld schon am ersten Tag zum Feind, obwohl er natürlich wusste, was das für Folgen haben würde.

Dieses Lächeln – es riss mich direkt vom Stuhl. Es sagte, was ich dem Morgenfeld schon längst gern mal gesagt hätte – »miese Type, komm mir bloß nicht zu nahe«, so in der Richtung, und als Christoph sich suchend umsah, zeigte ich auf den freien Platz an unserem Vierertisch. Er kam, setzte sich, packte seine Sachen aus. So fing es an.

Ich dachte mir gleich: Der wäre was. Nicht nur vielleicht und mal sehen ... Nein, ich dachte, der wäre richtig. Ich hatte damals keinen Freund. Nur eine Clique, Yogi, Olav, Mops, mit denen ich Platten hörte oder zum Schwimmen ging. Wir hockten auch öfter mal zusammen und redeten, meistens bei Yogi, der in seinem Zimmer unterm Dach so lange Besuch haben durfte, wie es ihm passte ... Das heißt, von dürfen ist keine Rede. Seine Eltern lassen ihn sein eigenes Leben führen: ohne Befehle, ohne Krach, ohne Theater. Manchmal haben wir bis Mitternacht bei ihm gesessen, Tee getrunken, Räucherstäbchen abgebrannt, und Yogi hat auf seiner indischen Trommel herumgeschlagen und dazu gesungen, mit diesem halbirren Ausdruck im Gesicht. Auch Christoph war später manchmal dabei. Yogi, Mops und Olav waren die Einzigen in der Klasse, die ihn mochten. Aber sie waren nur Kumpel, immer zu dritt, und ich brauchte einen Freund.

Der da ..., dachte ich, als Christoph neben mir saß und seinen Kram wegpackte. Seine Hände fielen mir auf, breit und kräftig, mit langen Fingern. Später, als er mit Auspacken fertig war, sah ich, dass sich seine Finger wie beim Klavierspiel bewegten. Er spielte Läufe, Akkorde, irgendein Stück, das er innerlich hörte. Ich kannte das – ich übte auch immer stumme Gitarrengriffe. Aber ich konnte es unter der Bank tun, während Christoph die Tischplatte brauchte und den dicken Morgenfeld nervös machte.

»Hören Sie auf, da herumzutrommeln, Zusbeck«, sagte er.

»Zumbeck«, sagte Christoph.

»Wie?«

»Zumbeck. Ich heiße Zumbeck.«

»Von mir aus.« Der dicke Morgenfeld lief schon wieder rot an. »Aber hören Sie mit dem Geklopfe auf.«

»Ich klopfe nicht«, sagte Christoph. Das stimmte. Man konnte wirklich nichts hören.

»Sie wissen genau, was ich meine«, blaffte der dicke Morgenfeld. »Hören Sie auf. Es macht mich nervös.«

Christoph ließ seine rechte Hand weiterspielen, legte dann sehr vorsichtig die Linke darauf, hielt sie fest und lächelte den Morgenfeld an.

Er war ganz schön arrogant. Das konnte heiter werden.

Aber es war nicht heiter. Schon damals hatte ich nicht das Gefühl, dass Christoph den dicken Morgenfeld ärgern oder seinen Unterricht schmeißen oder sich in Szene setzen wollte. Es war etwas anderes: eine Art Abwehr. Damals hätte ich es noch nicht so sagen können. Aber ich spürte es.

Wenn ich die Augen zumache, sehe ich ihn da sitzen an diesem ersten Morgen. Er hatte ein blauweiß kariertes Hemd an und ein schwarzes T-Shirt. Er saß sehr gerade ohne sich anzulehnen. Sein Gesicht unter dem hellen Haar war blass und so mager, als ob die Haut direkt über die Knochen gespannt sei. Er lächelte nicht mehr und die Art, wie er die Lippen zusammenkniff, gab ihm etwas Angestrengtes. Er sah aus wie jemand, der sich wahnsinnig zusammennehmen muss, um nicht … ja, was nicht? Damals dachte ich: um nicht zu platzen.

In der Pause, als er allein auf dem Hof stand, ging ich zu ihm hin. Er hatte die Arme verschränkt und den Kopf eingezogen.

»Mein Onkel wohnt in Leer«, sagte ich. »Er hat dort ein Hotel, gleich am Bahnhof.«

»Ganz schön kalt bei euch«, sagte Christoph.

Sehr ermutigend war es nicht, wie er mich ansah. Jeden anderen hätte ich stehen lassen. Aber ich sagte: »Das mit der Leda war gut.«

»Wie lang dauert die große Pause eigentlich bei euch?«, fragte Christoph.

»Zwanzig Minuten«, sagte ich und überlegte, wie ich weitermachen könnte. »Spielst du Klavier?«, fragte ich.

Er runzelte die Stirn. »Wieso?«

Die erste richtige Antwort.

»Na, weil du vorhin …«, sagte ich und so kamen wir ins Gespräch.

Die Musik. Er mit seinem Klavier, ich mit meiner Gitarre – darüber konnten wir reden. Wir hatten ungefähr den gleichen Geschmack. Bach vor allem, Telemann, Locatelli, Händel, aber auch die frühen Sachen von Pink Floyd, Emerson, Lake und Palmer, Bob Dylan. Dann merkte ich, dass

wir auch in anderen Dingen auf einer Welle lagen –
so, wie wir das, was um uns herum geschah, ein-
schätzten: Leistungsdruck und Numerus clausus,
den Wettlauf um Lehrstellen und Studienplätze,
das ewige ›Du musst dich eben durchsetzen und
etwas leisten‹ und dieses Gerede um große Dinge,
wo es doch meistens um Geld ging. Wir konnten
miteinander reden, das war es.

Natürlich passierte es nicht gleich in dieser
ersten Pause. Es dauerte eine Weile. Zum Glück
wohnte Christoph wie ich in Oberried, in dem
gelben Haus bei der Brücke, das früher diesen ein-
gebildeten Harters gehört hat. Sie, die Frau Harter,
hatte einen grauen Pudel, Bubi hieß er, der zu
ihrem Persianer passte. Im Metzgerladen hörte ich
einmal, wie sie »eine schöne frische Kalbsleber für
Bubi« verlangte, und als der Metzger sagte, er
hätte nur noch Rinderleber, rief sie entsetzt: »Aber
nein, so was frisst Bubi nicht.« Ich kam gleich
nach ihr an die Reihe und eigentlich sollte ich
Gulasch kaufen. Aber ich war so wütend, dass ich
in voller Lautstärke »drei Scheiben Rinderleber,
wir fressen so was« trompetete. Das war ein Voll-
treffer. Sogar die griesgrämige Metzgersfrau fing
an zu glucksen, wahrscheinlich zum ersten Mal
seit zehn Jahren.

Diese Geschichte erzählte ich Christoph, als wir
am ersten Tag zusammen vom Bahnhof kamen
und den Hurler Berg hinuntergingen. Christoph
war noch ohne Rad. Ich schob meines neben ihm

her. Es war kalt, die Straße vereist, ich hätte auf dem steilsten Stück sowieso schieben müssen.

Vor dem Haus blieben wir stehen. Er öffnete die Gartentür und ich streckte ihm die Hand hin.

»Auf Wiedersehen«, sagte ich.

Er beachtete die Hand nicht. Er hob seine Linke, ganz leicht, und sagte: »Good bye.«

Später merkte ich, dass das sein Gruß war. Nie hat er jemandem die Hand gegeben, nie »Auf Wiedersehen« gesagt. Nur Tschau, Adieu, Servus. Und zu mir immer Good bye, wie beim ersten Mal.

3

Donnerstag – der Tag, an dem Christoph beerdigt wurde.

Als ich von Ulrike nach Hause kam, wartete meine Mutter schon in der Diele. Wahrscheinlich hatte sie meine Schritte auf dem Kiesweg gehört. Sie hört mich immer. Sogar nachts, wenn ich barfuß in mein Zimmer schleichen will, steht sie plötzlich da. Es ist, als ob sie nur mit einem Auge und einem Ohr schläft, damit ihr bloß nichts entgeht, was mit mir zusammenhängt. Und das soll man aushalten.

»Du kommst aber spät«, sagte sie. »Ich habe schon gegessen.«

Ihr weißer Kittel war mit Farben bekleckst. Die Tür zu ihrem Arbeitszimmer stand offen und ich sah die neuen Entwürfe auf dem Zeichentisch. Sie hatte nicht zu der Beerdigung gehen können, weil sich ausgerechnet für diesen Vormittag der Typ von der Tapetenfabrik angemeldet hatte um mit ihr die Muster für die übernächste Kollektion zu besprechen. Und natürlich hatte sie sich gleich, nachdem er verschwunden war, auf die Arbeit gestürzt. So ist sie. Sie springt immer aus dem Stand, ohne Anlauf. Ich kann das nicht, ich brauche einen langen Anlauf, meistens jedenfalls. Das ist unser Problem.

»Ich wärme dir das Essen auf«, sagte sie.

»Nicht nötig, ich habe schon gegessen«, sagte ich und wartete, dass sie »Wo denn?« fragte. Dann hätte ich nicht geantwortet und sie hätte »Warum sagst du denn nichts?« oder »Ist das auch schon ein Geheimnis?« gefragt, und das Theater wäre losgegangen. Diese Fragerei – als ob sie mit einem Lasso da steht, als ob sie mich einfangen, auf keinen Fall loslassen will. Wenn sie doch begreifen könnte, dass ich nicht mehr an ihrer Leine trabe. Das heißt, sie begreift es ja. Wir haben einmal darüber gesprochen, die halbe Nacht beinahe. Aber genützt hat es nichts. Sie braucht mir nur gegenüberzustehen, schon vergisst sie alles. Und dann fragt sie und bohrt und will mich schieben und schubsen, wie früher, als ich ihr kleiner Junge war.

Aber diesmal fragte sie nicht.

Sie fragte auch nicht nach der Beerdigung: »Wie war's? – War's sehr schlimm?« oder etwas Fürchterliches in dieser Richtung.

Sie stand vor mir und sagte nur »Ja?« und starrte dabei auf den Teppich – so einen bunten jugoslawischen. Dann hob sie die Hand, ganz vorsichtig, und strich über meinen Arm.

Seitdem bei uns alles so verkorkst ist, kann ich es eigentlich nicht vertragen, dass meine Mutter mich anfasst. Ich denke immer, ich muss mich dabei zusammenziehen, wie ein Igel, dem Gefahr droht. Aber diesmal war es anders. Ich hatte nichts dagegen, dass sie über meinen Arm strich.

Ich wusste, dass sie an Christoph dachte. Ich dachte auch an ihn.

»Wenn du willst, können wir nachher zusammen Tee trinken«, sagte meine Mutter.

In meinem Zimmer griff ich mir meine Gitarre. Ich spielte so vor mich hin, alles durcheinander, Pink Floyd und Bach und Country Rock und Flamenco – in die Gitarre reinseiern, nennt meine Mutter das. Ich rechnete damit, dass sie über kurz oder lang auftauchen würde um mich an die Hausaufgaben zu treiben. So wie früher, als sie damit Erfolg hatte. Ich, der liebe kleine Junge: Immer freundlich. Immer nett. Immer ordentliche Hefte. Immer die Vokabeln im Kopf. Immer pünktlich zur Schule und pünktlich nach Hause. Und so ein fröhliches Kind.

Damals habe ich eben noch nicht nachgedacht. Höchstens über meine Computerspiele.

Aber seit ich nachdenke, ist alles anders geworden.

Es kam ganz allmählich. Zuerst war es nur eine Art Angst vor dem, was die Erwachsenen »das Leben« nennen: Beruf, heiraten, Kinder, Arbeit, Geldverdienen, am Wochenende feiern, ausschlafen, und weiter im selben Trott bis zur Pensionierung. Ich las die Todesanzeigen – lauter Namen von Leuten, die dagesessen hatten wie ich, gelernt hatten, getrimmt worden waren – und wozu? Für so ein Leben? Je länger ich nachdachte, umso schlimmer wurde es: Ich hielt es nicht mehr aus, dass die Leute so taten, als ob alles in Ordnung sei, als müsse man nur seine Pflicht tun, fleißig, pünktlich, und alles sei okay.

Am liebsten hätte ich mir eine Decke über den Kopf gezogen nur um das alles nicht mehr zu hören, diese ganzen Worte: Pflicht und machen und schaffen und leisten. Ich hatte keine Lust mehr, in die Schule zu gehen, mich trimmen zu lassen von Typen wie dem dicken Morgenfeld. Ich bekam eine Panik, wenn ich ihn sah. Bei jeder lateinischen Vokabel, die ich lernte, hatte ich Angst, dass ich werden könnte wie er: gleichgültig und nur auf den eigenen Bauch bedacht. Was in der Welt passiert, Hungersnöte, Krieg, Folter – Typen wie ihm ist das egal.

Oder Bio-Mayer mit seinem Aquariumtick. Sogar in der Pausenhalle hat er ein Aquarium aufgestellt. Wenn er von seinen Fischen redet, wird seine Stimme direkt warm. Die Fische behandelt er wie Menschen, und die Menschen wie Fische. Eiskalt ist der, ähnlich wie Mathe-Mayer, nur dass Mathe-Mayer seine Kaltschnäuzigkeit elitär verbrämt. »Leistung«, sagt er. »Etwas anderes interessiert mich nicht. Für Ihr menschliches Wohlbehagen fühle ich mich nicht verantwortlich. Ich bin hier um Ihnen Mathematik zu vermitteln. Wenn Sie nicht wollen – bitte.« Bio-Mayer ist brutal. Wen er fertig machen will, macht er fertig. Verweise, verschärfte Verweise – es gibt da allerlei Möglichkeiten.

Mathe-Mayer erteilt keine Verweise. Nicht einmal in der Mittelstufe kontrolliert er die Hausaufgaben. Wer sein Tempo nicht durchhält oder mal eine müde Strähne hat, den lässt er am Weg vergammeln.

Er ist so um die dreißig, groß, ein Sportstyp, trägt Jeans, kommt einem zuerst ganz sympathisch vor.

Beim Schulkonzert vor Pfingsten hat Christoph eine Beethoven-Sonate gespielt. Unheimlich gut. Hansen, der Musiklehrer, war ganz hin. Hansen ist selbst ein verhinderter Pianist, wenn er lobt, zählt es doppelt.

Am nächsten Tag hat Bio-Mayer Christoph besonders gemein ausgequetscht, nach dem Motto: »Mal sehen, ob unser Künstler noch mit beiden Beinen auf dem Linoleum steht.«

Mathe-Mayer dagegen hat Christoph nur kühl betrachtet und gemeint: »Schade, Zumbeck, dass Sie Ihre Energien so einseitig aktivieren.«

Das hält man doch nicht aus.

Da hat man doch Angst, dass man gefressen wird. Dass nichts übrig bleibt von dem, was man ist und wie man sein möchte. Dass man wird wie dieser Dagobert in unserer Klasse, dieser Paukautomat, der nur noch aus Vokabeln, Regeln und Formeln besteht.

»Das ist ja auch nicht nötig«, sagt meine Mutter. »Aber wenigstens irgendwie in der Mitte.«

Als ob einem das heutzutage was nützt, bei dem Numerus clausus und dem Lehrstellenmangel und der Arbeitslosigkeit. Mitte reicht doch nicht mehr. Spitze muss man sein, ein Streber wie Dagobert. Oder man kann ebenso gut gleich abschalten.

Wie gesagt, es fing ganz langsam an.

Ich mochte morgens nicht mehr aufstehen. Als ich vierzehn wurde, hatte mir meine Mutter einen Wecker gegeben, »damit der Junge selbstständig wird«. Es hatte auch funktioniert, vom ersten Tag an. Aber auf einmal hörte ich ihn nicht mehr.

Das heißt, hören schon. Ich schlief nur gleich wieder ein.

Also ein zweiter Wecker, der lauteste, den es gab. Es nützte nichts.

Also doch wieder meine Mutter.

»Martin, steh auf!«

»Martin, komm doch. Du kannst nicht einfach liegen bleiben.«

»Martin, du musst zur Schule!«

O Gott, die Schule.

Früher war sie ein Haus gewesen. Ein Haus an einem großen Platz. Jetzt war mir, als ob sie oben auf einem Berg läge. Jeden Morgen dieser Berg. Ich wollte nicht. Ich wollte nicht hochsteigen. Ich wollte nicht hinkommen.

Dann die Nachmittage.

Mein Zimmer. Der Schreibtisch. Das Bücherregal. Draußen der Garten.

»Spiel doch nicht schon wieder Gitarre, Martin. Fang endlich mit den Schularbeiten an.«

Ich sitze am Schreibtisch. Ich starre aus dem Fenster. Ich versuche zu lernen, ich spiele wieder Gitarre.

»Bist du schon fertig, Martin?«

Das Einzige, was ich wollte, war Gitarre spielen. Damals begann ich, wirklich zu üben. Vorher hatte ich nur auf den Saiten herumgeklopft. Auf einmal begriff ich, was eine Gitarre ist, was man mit ihr machen kann. Ich übte stundenlang. Ich fing an gut zu werden.

»Das Abitur, Martin! Du musst doch ein gutes Abitur machen. Vielleicht willst du mal Medizin studieren.«

Ich sagte schon nichts mehr dazu. Medizin studieren wollte ich bestimmt nicht, das wollte meine Mutter. Ihr Vater ist Arzt gewesen, der steht als so eine Art Denkmal in ihrer Erinnerung. Schade, dass er nicht Scherenschleifer war. Dann hätte sie nicht davon geträumt, dass ich in seine Fußstapfen trete.

»Aber was willst du denn werden, Martin?«

Als ob ich das gewusst hätte. Ich wusste nur, wie ich nicht werden wollte: wie der dicke Morgenfeld oder unsere beiden Mayers.

Auch nicht wie mein Vater.

Nichts gegen meinen Vater. Früher hatte ich ein ganz gutes Verhältnis zu ihm. Eigentlich auch jetzt noch. Ein bisschen cool, aber das macht nichts. Für Gefühl in der Familie sorgt meine Mutter. Jedenfalls wusste ich, dass er mich nicht hängen lassen würde. Im Notfall konnte ich auf ihn bauen, so viel war klar. Im Übrigen ließ er mich in Ruhe. Von Montag bis Freitag war er nicht da, und wenn er nach Hause kam, hatte er keine Lust, sich mit mir anzulegen, da konnte meine Mutter jammern wie sie wollte.

»Der fängt sich schon wieder«, sagte er.

»Aber er macht seine Aufgaben nicht mehr!«

»Das ist seine Sache.«

»Wie soll er da ein gutes Abitur machen?«

»Dann macht er eben ein schlechtes.«

Das waren die Wochenenddialoge bei uns, immer die gleichen, mit leichten Variationen. Ich fand es gut, dass mein Vater so reagierte, obwohl er es natürlich aus Bequemlichkeit tat. Er hat eine Vertretung für Bauelektrik, Kabel, Rohre, Schalter,

Sicherungen und dergleichen, die lastet ihn aus, in jeder Beziehung. Mit seiner Bauelektrik teilt er Freud und Leid. Man muss mal hören, welche Begeisterung ihn zum Beispiel für eine neue Schaltertype erfüllt. Am Wochenende, beim Frühstück, beim Mittagessen, beim Abendbrot – pausenlos kann er davon erzählen. Ganze Schaltergeschichten. Als ob es nicht egal wäre, worauf man drückt um Licht anzumachen.

Toller neuer Schalter. Eine großartige Erfindung. Wirklich ein Fortschritt.

Wenn ich das schon höre. Schalter und Fortschritt.

Dabei meint er sowieso nur das Geld, das so ein Schalter einbringt.

Früher, als ich klein war, war mein Vater ganz anders. Bergsteigen, Wandern, Rudern, Fischen, Fußball – alles hat er mit mir gemacht. Und dann seine Werkstatt: Der helle kalte Raum mit den Skulpturen aus Granit und Sandstein, die kleinen Figurinen aus Alabaster, die glatt und rund in der Hand lagen.

Damals war er Bildhauer. Meine Mutter hat er auf der Kunstakademie kennen gelernt.

Jetzt wird bei uns nicht mehr davon gesprochen. Aber ich erinnere mich, wie mein Vater in seiner Werkstatt gearbeitet hat. Es war ein Schuppen in dem alten Bauernhaus, das wir gemietet hatten – Klo auf dem Hof und solche Scherze. Ich weiß noch genau, wie kalt mein Hintern dort geworden ist, und dass ich im Winter dauernd Verstopfung hatte, weil ich mich nicht auf dieses eisige Loch setzen mochte. Der einzige Luxus war das große Fenster in der Werkstatt, und da stand er, mein Vater.

Mein Vater in seiner Werkstatt. Er trägt einen schwarzen Kittel und eine Zipfelmütze. Er steht vor einem großen grauen Stein, er meißelt daran herum, ping, macht es, pingping. Ich sitze auf dem Tisch und höre ihm zu. Er erzählt von der Figur, die in dem grauen Stein steckt. Steingeschichten.

Dann ist die Werkstatt leer und mein Vater fort.

Er muss Geld verdienen, sagt meine Mutter.

Freitags kommt er wieder. Er erzählt nichts mehr. Er schreit meine Mutter an, die mit ihren Farben hantiert.

Eines Tages höre ich Lärm in der Werkstatt. Ich laufe hin. Mein Vater zerschlägt eine große Steinfigur. Ich weiß noch, was ich dachte: Er schlägt sie tot, dachte ich. Bald darauf ist die Werkstatt leer. Sie wird als Lagerraum benutzt. Mein Vater kauft sich ein Auto. Wir ziehen in ein Haus mit zwei Klos und mein Vater fängt an Schaltergeschichten zu erzählen.

Meine Mutter hat ein Arbeitszimmer, in dem sie Tapeten und Stoffe entwirft. »Mit ihren Farben herumspielt«, wie mein Vater es nennt. Seit sie Erfolg hat, macht er sich über ihre Arbeit lustig. Muss er wohl.

Damals, als ich begriff, was mit ihm los war, konnte ich ihn kaum noch ansehen. Am liebsten wäre ich abgehauen, wie Christoph, der immer davon redete, dass er weg wolle, weg von Zwang und Leistung und Habenmüssen und Müssenmüssen.

»Eines Tages gehe ich«, sagte er. »Nach Indien. Dann lebe ich bloß noch, nichts weiter, so lange es hält.«

Indien? Indien war mir unheimlich. Ich erzählte ihm von Reinhard Moll, dem Sohn von Bekannten, der nach Indien getrampt war und Ruhr gekriegt hatte und beinahe am Straßenrand krepiert wäre.

»Eine Lebensversicherung ist es natürlich nicht«, sagte Christoph. »Und du wirst so was nie tun, du bist viel zu bequem.«

Das stimmt. Ich bin bequem und habe es gern warm und satt. Aber es stimmt nur halb. Ich wollte auch deshalb nicht weg, weil ich trotz allem an meinen Eltern hänge.

Nur reden konnte ich mit ihnen nicht. Darum war ich so froh, dass ich Christoph getroffen hatte, damals, als ich mich nicht mehr zurechtfand.

Jetzt war er tot. Wie sollte ich das aushalten? Ich saß in meinem Zimmer und schlug auf meiner Gitarre herum und hätte sie am liebsten kaputt geschlagen.

Meine Mutter kam herein.

»Christophs Vater hat angerufen«, sagte sie. »Er

würde gern mit dir sprechen. Ob es vielleicht heute Abend noch ginge?«

O Gott!

Aber dann bin ich doch hingefahren.

4

Das gelbe Haus bei der Brücke. Wie oft hatte ich morgens vor der Gartentür gewartet. Wie oft hatte ich mit Christoph mittags nach der Schule davorgestanden. Wie oft war ich hineingegangen, über den Plattenweg, durch die Diele, in Christophs Zimmer.

»Good bye«, hatte Christoph zum Abschied gesagt, damals am ersten Tag. Ich dagegen sagte »Auf Wiedersehen«. Ich meinte es auch, und als meine Mutter mich gegen Abend zum Bäcker schickte und ich Christoph mit seinem Hund über die Brücke gehen sah, holte ich ihn ein und schob mein Rad neben ihm her.

Am nächsten Nachmittag trafen wir uns wieder an der Brücke, dann besuchte ich ihn, er kam zu mir – wie es so ist, wenn man sich anfreundet.

Anfreunden – ich weiß nicht einmal, ob er sich wirklich mit mir angefreundet hat. Eigentlich war immer ich es, der darauf drängte, dass wir uns verabredeten: Wollen wir dies machen, wollen wir jenes tun, lass uns doch ins Konzert fahren, könnten wir nicht schwimmen gehen …

Aber ob es ihm ebenso wichtig war wie mir – nein, das weiß ich nicht. Ich sehe ihn neben mir, bei unseren Gängen durchs Moor, am Wald entlang, über die Wiesen. Er geht neben mir her, den Blick geradeaus, den Hund an der Leine, mit diesem verschlossenen Gesicht. Ich rede. Ich rede von meinen Schwierigkeiten. Von meiner Angst. Von dem, was ich möchte und nicht möchte. Er redet auch. Er sagt Dinge, die mir selbst noch nicht richtig klar sind, die ich fühle und nicht ausdrücken kann. Ich bin froh, dass er neben mir hergeht, dass wir miteinander reden.

Damals habe ich es nicht gemerkt. Aber ich glaube, er hat immer nur mit sich geredet. Und als er eines Tages tatsächlich abgehauen ist – nicht nach Indien, so weit ist er nicht gekommen –, hat er mir nichts gesagt.

Jetzt stand ich wieder vor dem gelben Haus. Um mit seinem Vater zu sprechen. Über Christoph.

Ich hatte kaum den Finger auf den Klingelknopf gelegt, da machte Christophs Vater schon die Tür auf. »Nett, dass du kommst«, sagte er, gab mir die Hand und ging vor mir her ins Wohnzimmer.

»Bitte«, sagte er und zeigte auf einen Sessel, als wäre ich ein Geschäftsbesuch. Er setzte sich mir gegenüber aufs Sofa. Unter dem Glastisch lag der

Hund, Banko. Er winselte und schnupperte kurz an meinen Schuhen.

Jeden Morgen, wenn Christoph das Haus verließ, hatte er verzweifelt gejault, und jeden Mittag, bei seiner Rückkehr, einen Freudenkoller gekriegt. Ich bückte mich und kraulte ihn am Kopf. Er bewegte nicht einmal den Schwanz.

»Der Hund kann es auch nicht fassen. Seit drei Tagen frisst er nichts mehr«, sagte Christophs Vater.

Er hatte eine Sonnenbrille vor den Augen. Sein Gesicht war graugelb und eingefallen. Er sah armselig und zerknittert aus und passte noch weniger als sonst zu der Wohnzimmereinrichtung – alles in Braun und Orange und Chrom und Glas. Eigentlich hübsch, aber irgendwie unbewohnt, weil es so fabelhaft neu und aufgeräumt war. Christoph hatte mir erzählt, dass bei seinem Vater nichts herumliegen dürfe. Bevor er abends auftauchte, flitzte Christophs Mutter durchs Haus und blies jedes Fusselchen auf seinen Platz. Es ging mir durch und durch, als ich sah, dass sogar jetzt die Wohnung wie frisch geleckt wirkte. Wahrscheinlich saß es ihr in Fleisch und Blut – eine Art Reflex, ganz gleich, was rundherum passierte.

»Nett, dass du gekommen bist«, sagte Christophs Vater noch einmal. »Du und Christoph, ihr wart so gute Freunde ...«

Er konnte nicht weitersprechen und ich wusste nicht, wo ich hingucken sollte.

Er legte die Hand vor die Augen, obwohl dort schon die Sonnenbrille war.

»Das ist ein schrecklicher Tag für uns. Entschuldige, wenn ich … du verstehst sicher …«

»Ja«, sagte ich. Ich hielt es fast nicht mehr aus. Aber ich blieb sitzen und wartete.

Eine Zeit lang schwieg er. Dann fragte er unvermittelt: »Warum war er so? Warum war diese Wand zwischen uns? Wann ist das schief gelaufen?«

Ich antwortete nicht. Wenn er es selbst nicht wusste – was sollte ich ihm sagen?

»Er war doch mein Sohn«, sagte er. »Ich war doch verantwortlich für ihn. Ich konnte doch nicht zulassen, dass er sich zu Grunde richtete.«

Jetzt kam wirklich eine Art Schluchzen aus ihm heraus und es dauerte eine Weile, bis er weitersprechen konnte.

»War ich zu streng?«, fragte er. »Hat er mich gehasst?«

Wieder so ein Laut und ich sagte schnell: »Nein, nein, bestimmt nicht.«

Wahrscheinlich war es gelogen. Ich bin sicher, dass Christoph seinen Vater gehasst hat. Er hat sich jedes Mal zusammengekrümmt, wenn die Rede auf ihn kam. »Der« hat er ihn genannt, nie »mein Vater«, nur »der«.

»Wenn ich bloß erst achtzehn bin«, hat er gesagt. »Dann hau ich ab, dann kann der nicht mehr auf mir rumhacken. Falls der mich nicht vorher schon kaputt gemacht hat.«

Und nun saß sein Vater da und weinte und ich sagte ein zweites Mal: »Nein, bestimmt nicht.«

Er nahm die Brille ab und wischte sich mit dem Taschentuch über die Augen.

Er ist irgendein hohes Tier bei der Bundesbahn und kam mir immer wie ein Fahrplan vor, trocken, korrekt, autoritär. Christoph mit seinem Klavier – klar, dass er für ihn ein Versager war. Musik, das ist etwas für den Feierabend. Aber als Hauptbeschäftigung – und für seinen Sohn! »Schluss mit der Klimperei!«, hat er gebrüllt. »Mach Mathematik! Mach Latein! Lerne was, damit du später dein Brot verdienen kannst!«

Ich habe es ein paar Mal miterlebt, das langte. Je mehr Christoph in der Schule absackte, umso schlimmer wurde es.

»Ich hatte immer noch gehofft, dass er sich fangen würde«, sagte sein Vater. »Ich habe euch sogar nach Wien fahren lassen.«

Wien. Dieses Wort. Was hing alles an diesem Wort.

»Der denkt, damit kann er mich erpressen«, hatte Christoph gesagt. »Ich lass dich nach Wien und dafür funktionierst du in der Schule. Der kapiert nicht, dass man mich nicht erpressen kann.«

Das mit Wien war übrigens meine Idee gewesen. Ich weiß noch – wir saßen in Christophs Zimmer. Eigentlich wollten wir Physik lernen, aber dann hatten wir Musik gemacht, Klavier und Gitarre, eine Sonate von Haydn. Ein Nachmittag Ende April. Draußen im Garten blühten die Forsythien. Ulrike mit ihrer Geige war noch nicht dabei.

»Wollen wir Pfingsten nicht irgendwas zusammen machen?«, hatte ich zwischen zwei Sätzen gefragt.

Christoph nahm die Hände von den Tasten.

»Vierzehn Tage Ferien!«, sagte ich. »Wir könnten wegfahren. Per Autostopp. Mit dem Zelt. Oder in Jugendherbergen schlafen.«

»Wie stellst du dir das vor?«, fragte er und ich sagte, Paris wäre sicher gut, das würde mir Spaß machen.

»Oder Wien«, sagte er. »Dorthin wollte ich schon immer gern. Und sind um die Zeit nicht die Wiener Festwochen mit den tollen Konzerten?«

Meine Eltern hatten nichts dagegen. Das heißt, meine Mutter schon. Sehr friedlich ging es damals nicht zu bei uns – ich mit meiner kippligen Versetzung und sie mit ihrer Drängelei.

»Wien?«, sagte sie, als ich davon anfing. »Setz dich in den Ferien lieber hin und tu was, statt in der Weltgeschichte herumzukutschieren.«

»Lass ihn«, sagte mein Vater. »Vielleicht hat er das Herumkutschieren zur Zeit nötiger als das Pauken.« Danach führten sie mal wieder eine Grundsatzdiskussion über meine Erziehung und die Sache war erledigt.

Christophs Vater jedoch …

Der Krach zwischen Christoph und ihm war

damals auf dem Höhepunkt. Christoph hatte es satt. Er schwieg nur noch, wenn sein Vater in der Nähe war. »Da kann ich ihn doch nicht wegen Wien fragen«, sagte er. »Außerdem erlaubt der es sowieso nicht.«

Seitdem er in Latein so abgerutscht war, durfte er kaum noch weggehen: nicht ins Kino, nicht ins Theater oder Konzert. Nur wenn sein Vater auf Dienstreisen war, hatte er Luft.

»Sprich mit deiner Mutter«, sagte ich.

»Du kennst sie doch«, sagte Christoph.

Trotzdem gingen wir zu ihr in die Küche. Sie war beim Bügeln und ließ vor Schreck das Eisen auf dem Pyjama stehen, als sie hörte, was wir vorhatten.

»Das muss Christophs Vater entscheiden«, sagte sie, genau wie wir vermutet hatten. Sie ist klein und zierlich, höchstens einsfünfzig groß. Nie hat sie es gewagt, ihrem Mann zu widersprechen oder Christoph zu helfen. Ihm übers Haar streichen, ihm heimlich etwas zustecken, sicher – aber dem Alten klarmachen, dass ein Mensch, den Musik mehr interessiert als Mathematik und Latein, auch ein Mensch ist, das hat sie nicht fertig gebracht.

Und dann erlaubte er es doch. Wahrscheinlich, weil mein Vater angerufen und ihm die Vorteile selbstständigen Handelns, zu dem wir unterwegs gezwungen seien, gepriesen hatte. Jedenfalls, als ich wieder bei Christoph war, kam er zu uns ins Zimmer. Er blieb bei der Tür stehen und zögerte, so, als überlegte er, ob er nicht lieber wieder gehen sollte. Mürrisch zeigte er auf die Noten, die am Boden lagen, und sagte: »Muss das sein?« Und gleich hinterher: »Von mir aus kann Christoph mit nach Wien. Vielleicht honoriert er unseren guten Willen und sorgt dafür, dass er nicht hängen bleibt.«

Wenn ich daran denke, wie er in Christophs Zimmer stand, groß, dünn, mit einem Zittern in der Stimme, weil ihm alles so gegen den Strich ging …

Christoph ist nicht hängen geblieben. In diesem Jahr noch nicht. Im nächsten hätte es ihn bestimmt erwischt. Doch das wird ja nun nicht mehr passieren.

Sein Vater tat mir Leid: Hängen bleiben wäre ihm sicher lieber gewesen.

Ich wollte ein bisschen nett zu ihm sein und sagte: »Er war sehr froh, dass er mit nach Wien durfte.«

»So?«, sagte sein Vater. »Uns hat er nichts erzählt. Kein Wort. Wie war es überhaupt? Was habt ihr gemacht?« Und als ich schwieg: »Wir möchten so gern alles über ihn wissen, jetzt …«

Der hatte Nerven. Alles wissen!

»Wir haben ein paar Engländer kennen gelernt«, murmelte ich. »Sie haben uns in ihrem Auto mitgenommen. Sie hießen Colin und Andrew. Und Brenda.«

Brenda. Colin. Andrew. Mit ihrem halbverrosteten Austin hatten sie genau vor uns gestoppt, als wir an der Autobahn warteten.

Es war ein heißer Tag. Schon der Mai war heiß in diesem Sommer. Die Pfingstferien hatten gerade angefangen und außer uns standen noch mindestens zwanzig andere an der Auffahrt. Aber wir hatten Glück. Der Austin hielt und nahm uns mit.

Es waren Studenten aus Manchester, nur ein paar Jahre älter als wir. Brenda und Colin waren Zwillinge, beide gleich groß, mit kurz geschnittenen roten Locken, sehr heller Haut mit Sommersprossen und braunen Augen. Sie trugen Bluejeans und T-Shirts und zuerst konnte ich sie nur an Brendas Busen und Colins Bartstoppeln unterscheiden.

»Ich lasse mir einen Vollbart wachsen«, sagte Colin.

»Wie Father Christmas. Damit die Boys keine unanständigen Blicke werfen müssen, wenn sie wissen wollen, mit wem sie es zu tun haben.«

Sie lachten gleichzeitig los, Brenda mit ziemlich tiefer, Colin mit ziemlich hoher Stimme.

Andrew sagte nicht viel. Dafür konnte er gut singen. Und kochen. Aber das merkten wir erst später, als wir an der Donau saßen, obwohl wir eigentlich längst in Wien sein wollten.

»Kommt mit in die Wachau«, hatte Colin gesagt. »Davon haben sie uns sogar in Manchester erzählt, und in Manchester weiß man, was gut ist. Wir zelten an der Donau, kaufen uns Wein …«

»Und du mit deiner Gitarre«, sagte der schweigsame Andrew. »Was spielst du?«

»Alles«, antwortete Christoph für mich. »Von Bach bis Beat.«

»Well, super«, sagte Andrew. »We wont't let you go, Segovia.«

Die drei Engländer gefielen uns. Sie waren entspannt, ohne jeden Krampf. Colin und Brenda wollten Lehrer werden, Andrew studierte Völkerkunde. Er schrieb an einer Arbeit über die Papuas, die Ureinwohner von Neuguinea, die zum Teil heute noch Menschenfresser sein sollen.

»Was willst du denn damit anfangen?«, fragte ich.

»Oh«, sagte er, »das ist ein sehr aussichtsreiches Studium. Vielleicht bleibe ich an der Uni und werde Professor. Und wenn das nicht klappt, kann ich auf dem Jahrmarkt oder im Zirkus auftreten, mit Original-Papuatänzen. Natürlich könnte ich auch ein Kochbuch für Kannibalen schreiben, das gibt es noch nicht. Ich werde bestimmt nie arbeitslos sein wie diese armen Lehrer heutzutage.«

Wirklich, die drei waren klasse. Es machte uns auch Spaß, Englisch mit ihnen zu sprechen. Die Botsch hatte uns eine Menge beigebracht. Wir konnten uns über alles unterhalten: Politik, Schule, Religion, Musik. Manchmal mit Händen und Füßen, aber ohne Schwierigkeiten.

Jedenfalls, als die Sonne unterging, saßen wir

mit Brenda, Colin und Andrew an der Donau. Unsere Zelte hatten wir zwischen Weiden und Erlen aufgeschlagen. Nach dem heißen Tag strahlte der Boden Wärme aus wie eine Heizplatte. Kein Nebel, kaum Feuchtigkeit, trotz des breiten Stroms, bis tief in die Nacht hinein konnten wir draußen bleiben. Unterwegs hatten wir eine Hammelkeule, Brot, Wein, Knoblauch und Zwiebeln gekauft und einen Wasserkanister gefüllt. Wir hatten Holz gesucht und eine Feuerstelle gebaut, und während die Flammen allmählich zu einer dicken Glutschicht zusammensanken, bereitete Andrew das Fleisch vor. In seinem Gepäck hatte er eine halbe Küche, sogar kleine Dosen mit Gewürzen. Er rieb das Fleisch mit Öl, Knoblauch, Rosmarin, Salbei und Pfeffer ein, holte einen Grillspieß aus dem Auto und steckte die Hammelkeule darauf. Er arbeitete langsam, sorgfältig und schweigend; es machte Spaß, ihm zuzusehen. Als er fertig war, legte er den Spieß über die Glut. Er setzte sich daneben, drehte den Spieß und passte auf, dass keine Flammen hochschlugen und das Fleisch verbrannten. Ich fragte, ob ich ihm helfen sollte. Er schüttelte den Kopf und Brenda sagte: »Lass ihn, das ist eine heilige Handlung.«

Wir saßen am Ufer, die Sonne ging unter, für eine Weile wurde die Donau rot. Sie war sehr breit an dieser Stelle, und die Weinberge drüben auf der anderen Seite sahen wie große, grüne Wellen aus, die neben ihr herflossen. Ausflugsdampfer fuhren

41

vorüber, Schleppkähne, kleine Motorjachten. Das Fleisch fing an zu duften, nach brauner Kruste, Rosmarin, Salbei und Knoblauch. Wenn Fett ins Feuer tropfte, zischte und prasselte es.

»Mach Musik, Segovia«, sagte Andrew und ich holte meine Gitarre aus dem Zelt. Ich spielte, was mir in den Kopf kam, nur leise Stücke, weil es so ruhig war hier an der Donau. Die anderen hörten zu und warteten, dass das Fleisch gar wurde. Ich sah Christoph an. Er hatte die Beine angezogen und die Hände unter den Knien gefaltet. So saß er da und blickte über den Fluss. Er sah aus, als ob er lauter gute Gedanken im Kopf hätte. Oder auch gar nichts. Einer, der nur dasitzt und über das Wasser blickt und darauf wartet, dass es Fleisch zu essen gibt.

Als der Hammel fast gar war, steckten wir Zwiebeln auf dünne Zweige und brieten sie. Es war dunkel geworden. Andrew schnitt dicke Scheiben von der Hammelkeule. Zwischen uns stand die Schüssel mit Brot und die Weinflasche. Das Feuer glühte, Andrew warf Holz darauf, dass es wieder zu lodern begann. Wir aßen und tranken. Noch nie hat mir etwas so gut geschmeckt.

Nach dem Essen fing Andrew an zu singen, Lieder aus Schottland und Wales. Ich kannte sie nicht, aber es war nicht schwer, ihn auf der Gitarre zu begleiten. Er sang tief und laut, und weil das Feuer und der Wein und die Musik mich in Stimmung brachten, sang ich schließlich auch. Zuerst genierte ich mich vor Christoph. Aber das war nicht nötig, nach einer Weile summte Christoph mit. Ich sang Lieder von Joan Baez, Bob Dylan, Leonard Cohen, alles, was mir einfiel.

Das Feuer brannte. Wir waren dichter herangerückt. Brenda saß neben mir und ich merkte, wie sie noch näher kam. Ihr Gesicht glänzte rötlich von der Glut, sie sah mich an und ich sie, und ich wäre gern mit ihr weggegangen, mit ihr allein gewesen, irgendwo an dem dunklen Ufer, ohne die anderen. Ich glaube, sie wollte es auch; ich hatte nur nicht den Mut zu sagen: »Komm, wir gehen.«

Ich spielte einen Flamenco, einen wilden, und Andrew fing an zu tanzen: seine Original-Papuatänze, mit denen er im Zirkus auftreten wollte, falls aus der Professur nichts würde! Brenda, Colin und Christoph klatschten den Rhythmus, und ich donnerte meinen Flamenco, und Andrew stampfte und sprang und keuchte und heulte. Es war irre – Donau und Flamenco und ein verrückter Engländer mit Papuatänzen.

»Du«, sagte ich zu Christoph, »das werden wir nicht vergessen, und wenn wir hundert werden.«

»Bestimmt nicht«, sagte er, so, als ob er glaubte, dass er hundert würde.

Der Wein war getrunken, das Feuer fast abgebrannt. Wir warfen Erde auf die Glutreste, vergruben die Abfälle und sagten Good night. Brenda, Colin und Andrew gingen in ihr Zelt, Christoph und ich in unseres. Es war ein winziges Leichtzelt.

43

Durch die dünne Haut schien das Mondlicht, die Blätter der Weide, unter der wir standen, zeichneten sich ab wie bei einem Schattenspiel. Wir lagen dicht beieinander. Ich konnte Christophs Gesicht sehen, es leuchtete hell unter den dunkelblonden Haaren.

»Schön war das heute Abend«, sagte ich. »Findest du nicht auch?«

»Ja«, sagte er. Und dann, nach einer Pause. »Das ist ja gerade das Schreckliche.«

»Quatsch«, sagte ich, denn ich wollte nichts hören von dem, was jetzt kam. Ich hatte mich so glücklich gefühlt am Feuer, es war so gut gewesen, ich spürte noch die Wärme auf der Haut.

»Man denkt, es ist schön«, sagte Christoph. »Und lässt sich reinfallen wie in warmes Wasser. Und liegt drin und plätschert. Und dann muss man wieder raus.«

»Na und«, sagte ich. »Wenn es doch schön war. Und diese drei, die sind so nett. So lustig.«

»Nett«, sagte Christoph. »Lustig. Was nützt es, wenn es gleich wieder vorbei ist. Im Grunde ist jeder allein. Helfen kann einem keiner. Am besten, man lässt gar nichts an sich herankommen.«

»Man braucht ja nicht immer daran zu denken«, sagte ich.

»Und wenn man es muss?«, sagte er. »Wenn man nicht anders kann? Bei dieser Schussfahrt zum Ende ...«

Unser altes Thema. Wir hatten oft darüber

gesprochen. Aber heute Abend betraf es mich nicht und ich sagte: »Mach dir doch nicht alles kaputt.«

Er schwieg. Ich dachte schon, er wäre eingeschlafen. Aber dann sagte er: »Meinst du, es macht mir Spaß?« In seiner Stimme war ein fremder Ton, so, als ob ihm etwas den Hals zusammendrückte. Ich kannte das. Ich hatte ja etwas Ähnliches gehabt, bevor Christoph gekommen war. Merkwürdig, erst dort im Zelt wurde mir klar, wie viel besser es mir jetzt ging. Der Klumpen in meiner Kehle oder in meiner Brust oder wo immer er gesessen hatte, war fast verschwunden. Ich hätte ihm das gern gesagt. Dass er mir geholfen hatte und dass ich ihm helfen wollte und dass es bestimmt eine Möglichkeit gäbe und dass wir sie zusammen suchen müssten. Aber ich wagte es nicht.

Vielleicht hätte ich es sagen sollen. Vielleicht wäre es gut gewesen.

Stattdessen lagen wir schweigend nebeneinander. Die Blätter über uns raschelten. Ein Vogel rief. Ich horchte, ob sich nicht Schritte in die Geräusche mischten, Brendas Schritte. Sie war so dicht an mich herangerückt – vielleicht würde sie herauskommen und auf mich warten. Ich wäre so wahnsinnig gern mit ihr zusammengewesen. Ich hatte immer Angst gehabt, es bei einem Mädchen zu versuchen. Aber sie war älter als ich – sicher hatte sie schon mit einem Mann geschlafen, vielleicht saß sie am Ufer und wartete.

Ich richtete mich auf und sah zu Christoph hinüber. Er lag da, die Augen geschlossen, sein Atem ging ruhig. Vorsichtig kroch ich aus meinem Schlafsack und aus dem Zelt.

Draußen war es so hell, dass man bis ans andere Ufer sehen konnte. Über die Donau liefen schwarzsilberne Streifen. Es roch nach unserem Feuer.

Brenda war nicht da. Ich setzte mich hin und wartete. Ich hustete und hoffte, sie würde mich hören. Aber sie kam nicht.

Als ich wieder in meinem Schlafsack lag, fragte Christoph: »War sie da?«

»Nein«, sagte ich.

»Mädchen können einem auch nicht helfen«, sagte er.

Irgendwann sind wir dann eingeschlafen.

Was sollte ich Christophs Vater davon erzählen?

»Wir sind mit den Engländern in die Wachau gefahren«, sagte ich. »Dort haben wir gezeltet und ein Feuer gemacht und Hammelfleisch gebraten.«

»Und Christoph?«, fragte er. »War er glücklich?«

»Doch«, sagte ich. »Klar. Auch später, in Wien.«

»So?«, sagte er. »Den Eindruck hatte ich aber nicht. Wenn er dort glücklich war – warum hat er sich danach noch schlimmer aufgeführt als vorher?«

Ich zuckte mit den Schultern und hätte ihm beinahe klargemacht, dass Christoph gerade deshalb, weil es in Wien so schön gewesen war, zu Hause halb verrückt geworden ist. Aber dann hätte ich den Namen Achim Lemmert nennen müssen, den Christoph verschwiegen hatte, weil er ihn, bewusst oder unbewusst, schon damals als Fluchtmöglichkeit im Hintergrund halten wollte.

Christophs Eltern glaubten, wir hätten in der Jugendherberge übernachtet. Aber wir waren erst abends in Wien angekommen. Brenda, Colin und Andrew wollten noch an der Donau bleiben. Wir hatten gefrühstückt, in der Sonne gehockt, uns nicht trennen können. Erst gegen Mittag waren wir losgezogen und diesmal hatten wir nicht gleich ein Auto gefunden. Es dauerte ewig, und als wir in der Jugendherberge nachfragten, war alles besetzt. Außerdem hatte es angefangen zu regnen, also kein Wetter für unser Zelt.

Da war mir Achim Lemmert eingefallen.

Achim Lemmert war mit meinen Eltern zusammen auf der Kunstakademie gewesen. Irgendwie ist er zum Fernsehen gekommen und Kameramann geworden. Ab und zu, wenn er in unserer Gegend war, hatte er uns besucht, und obwohl das lange zurücklag, erinnerte ich mich gut an ihn, wahrscheinlich, weil er mich immer wie jemanden behandelt hat, den man ernst nimmt. Nie dieses »Na, mein Junge, wieder gewachsen? Und immer hübsch fleißig in der Schule?«

Als ich anrief, sagte er sofort, dass wir bei ihm schlafen könnten, und wir fuhren zu ihm hin.

Achim Lemmerts Wohnung liegt an einem Park. Vom Balkon aus sieht man in die Baumwipfel. Es hatte aufgehört zu regnen, wir saßen auf dem Balkon und Achim sagte, er müsse am nächsten Morgen für zwei Wochen nach Hamburg um einen Film zu drehen, und wir könnten so lange in der Wohnung bleiben, wie wir wollten.

Diese Wohnung! Sogar ein Klavier war da. Christoph machte es auf, griff ein paar Akkorde, vornübergebeugt, mit diesem horchenden Ausdruck, den er jedes Mal hatte, wenn er die ersten Töne anschlug.

Achim stand daneben. Er sah ihn an, sehr aufmerksam, wie man ein Bild in einer Ausstellung betrachtet, und sagte: »Aha, so ist das.« Dann ging er zu einem Schrank und öffnete ihn. »Hier sind Platten«, sagte er. »Den Plattenspieler habe ich gerade erst gekauft, er klingt ausgezeichnet. Im Kühlschrank steht noch einiges und zwei Blöcke weiter an der Ecke ist ein Lebensmittelgeschäft, da könnt ihr euch eindecken.«

Wir blieben bis Mitternacht auf dem Balkon sitzen. Christoph war so gesprächig wie sonst nie mit Fremden. Er redete über sich, über die Schule, über die Musik, über seine Eltern und davon, wie schwierig alles war.

Achim hörte ihm zu, mit diesem aufmerksamen Gesicht, sagte: »Ja, das kenne ich, genauso war's bei mir«, aber auch: »Das ist subjektiv; da machst du es dir zu einfach; das musst du differenzierter

sehen.« Und dann: »Sieh zu, dass du durch-
kommst. Noch ein paar Jahre und du hast es
geschafft. Wenn ich dran denke, wie beschissen es
mir mit siebzehn gegangen ist. Einmal hätte ich
mich beinah auf die Schienen gelegt. Zum Glück
habe ich es nicht getan. Sonst könnte ich zum Beispiel morgen nicht nach Hamburg fahren und
zusammen mit diesem Regisseur, der wirklich ein
guter Mann ist, einen Film machen.«

»Der Mond hat einen Hof«, sagte Christoph
und ging aufs Klo.

Achim sah hinter ihm her, nahm sein Glas,
trank, stellte es wieder hin. »Ob das gut geht mit
deinem Freund?«, sagte er. »Versuche, ihn ein bisschen festzuhalten.«

»Ausgerechnet ich«, sagte ich.

»Um dich habe ich keine Angst«, sagte er. »Du
bist ganz schön stabil. Aber dein Freund, der ist
aus Glas.«

Am nächsten Morgen reiste Achim Lemmert ab
und die Wohnung gehörte uns. Drei Zimmer und
Bad und Balkon und Küche und ein Schrank vol-
ler Platten und meterweise Bücher und ein
Schwimmbad in der Nähe, und das Ganze in
Wien.

Wir waren wie besoffen am ersten Tag. Wir lagen
auf dem Teppich und wühlten in den Schallplatten
und machten Musik und kochten und gingen zum
Schwimmen und fuhren in die Stadt und bummel-
ten durch die Gassen und stiegen auf den Stephans-

dom und gingen abends ins Theater und setzten uns hinterher vor ein Café und kamen erst in der Nacht nach Hause und konnten überhaupt nicht fassen, dass noch zwölf Tage vor uns lagen. Zwei Wochen ohne Zwang. Zwei Wochen ohne Regeln. Zwei Wochen niemand, der sagte, tu dies, tu das, steh auf, geh schlafen, verschwinde, komm wieder.

Am liebsten waren wir in der Wohnung. Wir lagen herum, lasen, spielten Platten, redeten, machten Pläne, blödelten. Christoph wurde von Tag zu Tag vergnügter. Von der »Schussfahrt zum Ende« sprach er in Wien nicht mehr. Und wenn ich zurückdenke: Dort hat er wirklich mit mir geredet, nicht nur mit sich.

Am letzten Morgen, als wir alles für unsere Abreise fertig machten, war er mürrisch und schweigsam. Wir hatten während der elf Tage kaum aufgeräumt. Die Küche sah aus wie ein Schweinestall, und durchs Wohnzimmer musste man wie ein Storch stelzen, so viel Zeug lag herum. Wir brachten die Wohnung wieder auf Hochglanz, zogen die Betten ab und packten unsere Rucksäcke. Dann stellten wir eine Flasche Whisky für Achim auf den Tisch und gaben den Schlüssel bei der Hausmeisterin ab. »Ja, schau, die jungen Herren, müssen S' wieder fort«, seufzte sie und drückte jedem von uns ein Stück frisch gebackenen Kuchen in die Hand.

»Auf Wiedersehen«, sagte ich, als die Tür hinter uns zuklappte.

Wir haben Wien wieder gesehen. Aber es war alles anders.

Am Abend waren wir zu Hause, am nächsten Tag fing die Schule an und am Donnerstag darauf bekamen wir Latein und Englisch heraus. Ich hatte zweimal »mangelhaft«, Christoph zweimal »ungenügend«.

Der Krach mit meiner Mutter ging mir an die Nieren. Sie kanzelte mich ab wie einen Zehnjährigen und ich schrie, sie solle mich in Ruhe lassen, es sei mein Leben, und wenn ich vergammelte, ginge es nur mich etwas an. Sie legte den Kopf auf den Tisch und weinte und ich hatte eine Wut auf sie und auf mich und Mitleid mit ihr und mit mir.

Bei Christoph war es schlimmer. Sein Vater war eiskalt. Der reine Nordpol. Er meldete Christoph vom Klavierunterricht ab und bei einem Nachhilfelehrer an. In den großen Ferien durfte Christoph nicht wegfahren. Wir hatten vorgehabt mit dem Zelt nach Schottland zu trampen. Daraus wurde nun nichts.

»Schottland, das hätte er gern gesehen«, sagte ich zu seinem Vater, der mir auf dem orangeroten Sofa gegenüber saß und unbedingt alles über Christoph wissen wollte.

»Wie sollte ich ahnen, dass es seine letzten ...«, sagte sein Vater. »Wenn er sich wenigstens ein bisschen Mühe gegeben hätte ... Diese Faulheit – kein Lehrling darf sich das erlauben; selbst ein

Hilfsarbeiter bei der Bahn würde seinen Job verlieren ...«

Langsam wurde ich wütend.

»Mühe gegeben?«, sagte ich. »Mit der Musik hat er sich doch Mühe gegeben. Da hat er geschuftet. Stundenlang geübt jeden Tag. Ist das denn nichts? Ist nur das verdammte Latein was wert?« Und ich sagte: »Muss man denn bestraft werden, bloß weil man anders ist?«

Christophs Vater war ganz zusammengefallen. Er saß da, die Ellbogen auf den Knien und sah mich nicht an.

»Ich hatte eine schwere Kindheit«, sagte er. »Mein Vater hat nicht viel getaugt, meine Mutter hat sich abgerackert, um uns durchzubringen. Ich bin alles aus eigener Kraft geworden. Abendabitur, das Studium selbst verdient. Christoph hat sich ins gemachte Bett gelegt. Er sollte doch etwas Vernünftiges werden ... Eine Zukunft haben. Musik, das war doch nichts Solides.«

Wirklich, er hatte nichts begriffen. Es war hoffnungslos. Ich stand auf.

»Einen Moment«, sagte er. »Ich weiß immer noch nicht, wo er sich versteckt gehalten hat ...«

Christophs Flucht kurz vor dem Unfall. Das zweite Mal Wien. Hatte sein Vater mich kommen lassen um diesen weißen Fleck auf der Landkarte wegzukriegen?

»Jetzt brauchst du es doch nicht mehr zu verschweigen«, sagte er.

»Doch«, sagte ich.

Als ich durch die Diele ging, kam Christophs Mutter aus der Küche. Ihr Gesicht war rot und verschwollen, kaum, dass man die Augen sehen konnte. Sie nahm meine Hand, zögerte, legte plötzlich die Arme um mich und weinte.

»Du warst sein Freund«, sagte sie. »Ich bin froh, dass ihr so oft zusammen wart. Dass er das noch gehabt hat.«

Ich blieb stehen und ließ sie weinen. Ich habe sogar ihren Rücken gestreichelt. Als sie mich losließ, bin ich nach Hause gefahren.

5

Am Freitag, vier Tage nach dem Unfall, einen Tag nach der Beerdigung, bin ich wieder zur Schule gegangen. Dienstag und Mittwoch hatte ich zu Hause herumgelegen, mit Schüttelfrost, Kopfschmerzen, Fieber. Mir war so schlecht, dass ich an nichts denken konnte, außer daran, dass mir schlecht war. Am Montagnachmittag, bei der Polizei, hatte ich noch ein paar klare Sätze zu Stande gebracht. Ja, der Lastwagen war rechts gefahren. Ja, der Stein hatte mitten auf der Straße gelegen. Ja, Christoph war ziemlich schnell gefahren. Ja, ja, ja …

Gegen Abend ging es dann los mit dem Schüttelfrost, und als am Dienstagmorgen Christophs Eltern kamen, flatterte mir das Schluchzen und Fragen wie Fetzen um die Ohren. Die Gestalten an meinem Bett verschwammen, dann fing mein Bett an zu rotieren. Teils hing ich oben unter der Decke, teils schräg an der Wand; manchmal überall gleichzeitig. Schauerlich, der reinste Horrortrip. Erst gegen Abend fühlte ich mich besser und ich erinnerte mich wieder an das, was passiert war. Nur, dass es mich nicht richtig betraf. Ich betrachtete Christophs Tod wie etwas Fremdes, so eine Art Fernseh-Katastrophe: Erdbeben in der Türkei, Jumboabsturz in den Rocky Mountains, Hotelbrand in Tokio. Als die Schulsekretärin anrief und fragte, ob ich den Sarg mittragen wollte, sagte ich sofort: »Ja, ist doch klar.« Ich sagte es ganz munter und hatte immer noch nichts kapiert.

Bis zum Donnerstag auf dem Friedhof.

Montag bis Donnerstag ...

Eigentlich hatte es nicht viel Zweck, ausgerechnet an einem Freitag wieder mit der Schule anzufangen. Aber ich wollte es hinter mich bringen.

Am meisten Angst hatte ich vor dem Hurler Berg. Es ist die einzige Verbindung zwischen Dorf und Bahnhof – ich konnte ihn nicht umgehen.

Der Hurler Berg ist ziemlich steil – sechs Prozent Steigung mindestens. Sogar mein Rennrad muss ich schieben und das ausgerechnet morgens, wenn einem sowieso die Zunge aus dem Hals hängt. Mittags geht es dann umso leichter. Man rollt von selbst nach unten, nur auf die Kurven und die Autos muss man achten.

Seit die Wiesen am Westrand des Dorfes bebaut werden dürfen, ziehen immer mehr Leute aus München zu. Das bringt morgens, wenn alle zum Bahnhof müssen, ganze Autoschlangen auf den Hurler Berg. Stoßzeiten wie in der City, bloß ohne Ampeln. Obwohl Ampeln auch keinen Zweck hätten. Die Straße ist viel zu schmal, sogar die ADAC-Zeitung hat sich schon darüber aufgeregt. Doch machen lässt sich nichts, weil an beiden Seiten ausgesprochene Prachtvillen stehen, aus der Zeit, als es in Oberried noch keine S-Bahn gab und der Grund hier draußen so billig war, dass es keiner unter zweitausend Quadratmetern tat. Jetzt haben die Besitzer täglich die Autoschlangen vor dem Gartentor und sträuben sich einen Streifen Land abzutreten, damit wenigstens Radwege gebaut werden könnten. Die Prozesse, die die Gemeinde deswegen führt, dauern schon endlos; da muss es wohl erst noch mehr Tote geben.

Jedenfalls, der Hurler Berg ist ein Himmelfahrtsweg. Früher habe ich mir keine Gedanken darüber gemacht: Ich bin die Steigung hinuntergerollt, schnell, schneller, den Wind im Gesicht. Jetzt hatte ich Angst, an der Stelle vorbeizukommen, an der es passiert war. Um nicht allein zu sein, fuhr ich zehn Minuten eher los, Richtung Dorfstraße, über die kleine Brücke, und holte Ulrike ab.

»Hallo«, sagte sie, als sie aus dem Haus kam. Sie hatte Jeans an und eine offene Strickjacke. Durch die dünne Bluse schimmerte der BH.

Ich stand an der Gartentür und hatte Angst vor dem Hurler Berg. Aber ihren BH sah ich trotzdem.

Sie holte ihr Rad aus dem Schuppen und wir fuhren nebeneinander her. Wieder so ein warmer Morgen, obwohl es schon Ende September war. Im Mai hatte es angefangen mit der Hitze und es sah aus, als ob es nicht aufhören wollte. Nur die blassen Herbstzeitlosen, die dicht an dicht auf den Wiesen standen, erinnerten an die Jahreszeit.

Ulrike erzählte mir, dass es wieder Krach mit ihrer Mutter gegeben hätte – immer noch wegen Christoph, und das ausgerechnet am Tag seiner Beerdigung. Seitdem Ulrike mit ihm zusammen war, hatte sie alles laufen lassen und sämtliche Klassenarbeiten verhauen. Dabei stand sie sowieso schon auf der Kippe. Eigentlich ist sie nur aus Gnade versetzt worden. Und gestern hat ihre Mutter gedroht die Geigenstunden zu streichen, wenn sie sich nicht ab sofort zusammennähme. Das gleiche Rezept wie bei Christophs Vater, und wohin das geführt hatte, wusste sie doch.

Merkwürdig, wie Eltern reagieren. Sehen eine schlaue Sendung nach der andern über Psychologie, Pädagogik und was weiß ich, reden über Entwicklungsphasen – aber das eigene Kind, das soll funktionieren. Wie eine Maschine.

Ulrikes Mutter zum Beispiel – die müsste doch ihre Tochter kennen. Die müsste doch gespürt haben, was da geschah. Christoph und Ulrike – jeder, der sie sah, musste merken, wie viel Schwierigkeiten sie hatten. Wenn sie nebeneinander hergingen, sprachen, sich anblickten, immer halb auf Abstand und halb auf Nähe, stets in Angst, etwas falsch zu machen, zu verletzen, verletzt zu werden – das war doch, als ob der Boden unter ihnen wackelte.

Dabei war Ulrike vorher so heiter gewesen, so ausgeglichen, eigentlich gar nicht kompliziert. Sie hatte – dieser Ausdruck stammt von ihr – sie hatte alle Probleme weggeigen können und Probleme hatte sie genug. Wenn ich nur an ihren Vater denke, der vor zwei Jahren gestorben ist. Er war Musiker im Rundfunkorchester, Cellist, ein sehr guter sogar. Bis das mit der Trinkerei losging und er abgerutscht ist. So einen Vater, den soll mal einer verkraften. Ohne Promille sanft wie Franz von Assisi, aber im Suff brutal, ein richtiger Berserker. Ich weiß noch, wie er schwankend durchs Dorf gezogen ist, zu der fetten Bichler mit ihrem Tante-Emma-Laden. Diese Schlampe – einen richtigen Hass habe ich auf sie. Klar, dass Ulrikes Vater seinen Schnaps bei ihr bekam. Auf Pump, Ulrikes Mutter musste ihn bezahlen.

»Geben Sie ihm doch nichts mehr«, hat sie gebettelt. Aber die Bichler in ihrer Gier kennt kein Erbarmen – Hauptsache, die Kasse stimmt. Vielleicht kapiert sie die Aufregung auch gar nicht. In Oberried wird so viel gesoffen, da ist das schon beinahe normal.

Das alles hat Ulrike von sich weggegeigt – die Szenen zu Hause, den Klatsch und Tratsch, die Mutter, die auch nicht gerade freundlicher wurde.

Sie hat es uns erzählt, an einem Abend, als wir bei mir die Matthäus-Passion gehört hatten und vollständig high davon waren. Ich sehe es vor mir, das Zimmer ohne Licht, der Mond im Fenster, die Umrisse der Möbel, Ulrikes und Christophs verschwommene Gestalten in der Dunkelheit und ihre Stimme darüber: »Er hat um Verzeihung gebettelt. Er hat geweint; er hat uns geschworen, dass er keinen Schnaps mehr anrührt. Aber wir wussten, dass er nicht durchhalten würde. Er hat mir so Leid getan, könnt ihr das begreifen?«

Sie hat es weggegeigt. »Seltsam war das«, sagte sie. »Ich dachte, ich drehe durch. Und gleichzeitig dachte ich an die Musik und dann lief alles von mir ab. Eine Art Ölhaut aus Musik. Seltsam, nicht?«

Doch dann kam Christoph, der ließ sich nicht weggeigen, vom ersten Tag an nicht, an dem er und Ulrike sich getroffen haben.

Getroffen haben – es ist nicht das richtige Wort. Sie war ja schon in unserer Klasse, als er kam, und ich kenne sie seit dem ersten Tag im Gymnasium. Ich weiß noch, wie sie aussah, damals, als wir anfingen: Klein und dünn, mit so einem Pferdeschwanz hinten am Kopf und dieser roten Nase von der dauernden Heulerei. Alle wussten, wie leicht man sie zum Weinen bringen konnte, und warteten darauf, dass es losging. Schade, dass ich sie nicht in Schutz genommen habe. Aber wahrscheinlich fand ich sie zimperlich, genau wie die andern.

Nur einmal ist sie mir aufgefallen. Das war vor vier Jahren, als wir vor den großen Ferien unsere Instrumente zum Vorspielen mitgebracht hatten. Da stand sie vor der Klasse und geigte und ich erinnere mich genau: Die anderen machten Blödsinn und der arme Hansen, unser Musiklehrer, der, wie er sagt, sein Leben damit verbringt, Perlen vor die Säue zu werfen, musste pausenlos »Ruhe« brüllen. Doch Ulrike störte das nicht. Sie stand da, mit ihrem Pferdeschwanz und ihrer roten Nase, und geigte unverdrossen vor sich hin. Eine ganz andere Ulrike als die Heulsuse, die ich gekannt hatte.

Vermutlich habe ich dieses Bild bald vergessen. Erst viel später tauchte es wieder auf.

Auch Christoph hat Ulrike anfangs kaum wahrgenommen. Sie war für ihn nur eines der Mädchen in der Klasse, eine von den »happy few«, wie er sie spöttisch nannte, weil sie in der Minderheit waren, etwa eins zu drei, und das auch ganz munter ausspielten. Wimpernklappern statt Diskussionen, und was sonst noch so dazugehört. Natürlich nicht jede. Und Ulrike bestimmt nicht, die fiel nur mit unter das allgemeine Vorurteil.

Und dann haben wir sie getroffen.

Es ist doch das richtige Wort. Sie stand auf der Straße und wir haben sie getroffen. Nicht etwa bei der Schule, wo wir sie jeden Tag sozusagen griffbereit hatten, sondern in Sankt Florian.

Sankt Florian. Das Stift mit der Kirche, in der Anton Bruckner Organist gewesen ist. In der Krypta, direkt unter der Orgel, steht sein Sarg.

»Sankt Florian!«, hatte Christoph gesagt und auf das Ortsschild gezeigt, nicht weit hinter Linz, als wir mit Brenda, Colin und Andrew in Richtung Wien fuhren.

»What's that?«, wollte Andrew wissen und wir erzählten von Bruckner und von der berühmten Orgel und hätten gern den Umweg dorthin gemacht ...

Damals war nichts daraus geworden. Colin wollte rechtzeitig an der Donau sein um in Ruhe einen Zeltplatz zu suchen, und Andrew hatte Angst, keinen offenen Metzgerladen mehr zu finden, wegen der Hammelkeule.

Aber Sankt Florian ging uns nicht aus dem Kopf. Jeden Sonntag gab es dort ein Orgelkonzert, und gleich nach Pfingsten, als Christophs Vater auf einer Tagung war, sind wir hingetrampt. Schon mittags standen wir vor dem Stift, und ein paar Meter von uns entfernt stand Ulrike.

Zuerst dachten wir, es müsste ein Irrtum sein – Doppelgängerin oder dergleichen. Aber sie kam

auf uns zu und fragte: »Wo kommt ihr denn her?«
Da begriffen wir, dass es tatsächlich Ulrike war.

Wir gingen in die Imbissstube gegenüber und
tranken einen Espresso und hörten, dass Ulrike
wie wir per Autostopp hergefahren war, und aus
dem gleichen Grund: wegen der Orgel.

»Wenn ich das gewusst hätte!«, sagte sie. »Alle
möglichen Leute habe ich gefragt, ob sie nicht mitkommen wollten.« Sie sah Christoph an. »Euch
natürlich nicht.«

»Hättest du ruhig tun sollen«, sagte ich.

Ulrike sah immer noch Christoph an. »Findest
du das auch?«, fragte sie.

»Ich glaube, ich nehme noch einen Espresso«,
sagte Christoph.

Später saßen wir nebeneinander in der Kirche,
Ulrike zwischen Christoph und mir, zum ersten
Mal zu dritt. Die Orgel klang wunderbar. Manchmal dachte ich, die ganze Kirche würde davonflie-
gen. Ich war froh, dass ich nicht allein hier sitzen
musste.

»Wenn man sich vorstellt, dass Bruckner auf
dieser Orgel gespielt hat«, sagte Ulrike, als wir
unten in der Krypta an seinem Sarg standen. »So
ein kleiner, unscheinbarer Typ. Und diese Musik.«

»Und nun liegt er da«, sagte Christoph. »Seine
ganze Musik – er hat sich nicht daran festhalten
können.«

In seiner Stimme war dieser Ton, der immer
hineinkam, wenn er an einer Sache kaute und sie

nicht schlucken konnte. Ulrike kannte ihn noch nicht. Ich merkte, wie sie hinhorchte.

»So was, wie er gemacht hat«, sagte sie. »Glaubst du nicht, dass es sich damit leichter stirbt?«

»Das sind Sprüche«, sagte Christoph. »Was nützt es ihm, dass wir seine Musik haben? Gemacht oder nicht gemacht – jetzt ist er nicht mehr als einer von denen.«

Er zeigte auf die Nischen in der Wand, genau dem Sarg gegenüber. Sie waren vollgepackt mit Schädeln, bis oben hin – auf irgendeinem alten Friedhof oder bei Ausgrabungen gefunden, ich weiß es nicht mehr. Der Fremdenführer hat es wahrscheinlich erzählt. Aber ich hörte nicht zu. Ich sah nur diese Totenköpfe, blank, grinsende Knochen, eine säuberlich aufgeschichtete Pyramide, Schädel, die früher lebendig gewesen waren, mit Fleisch und Haut und Augen und Lippen, und die Touristen standen davor und starrten sie an, und die Toten konnten sich nicht wehren. »Vielleicht ist mein Urgroßonkel Aloys dabei«, sagte ein Mann und rundherum wieherte es.

»Kommt raus hier«, sagte Christoph. »Es ist schamlos.«

Ich sah Ulrikes Augen, die in seinem Gesicht suchten. Ich merkte, dass es ihr mit ihm genauso ging wie mir.

Ob er es auch gemerkt hat? Er antwortete nicht, als ich ihn später danach fragte. Er nahm es hin, dass sie sich vom nächsten Tag an in den Pausen zu uns stellte, dass sie mit uns zum Bahnhof ging, im Zug bei uns saß. Auch dass wir zusammen Musik machen wollten, dieser Vorschlag, aus dem dann unsere Freitage wurden, kam von ihr. Unsere Freitage zu dritt. Aber sie meinte nur Christoph. Er nahm es hin und sie gehörte zu ihm.

»Sir Christoph und seine Lady«, nannte es Harry Martuschek aus unserer Klasse, der eine ganze Weile hinter Ulrike hergewesen war und vermutlich eine Wut hatte, weil er nie landen konnte.

Jetzt war Christoph tot und sie saß da mit ihren schlechten Noten und ihre Mutter wollte ihr den Geigenunterricht wegnehmen.

»Wenn sie das tut, gehe ich von der Schule«, sagte Ulrike, während sie mit dem Rad neben mir herfuhr. »Dann arbeite ich, was, ist mir ganz egal, und von dem Geld bezahle ich die Stunden.«

Sie sah blass aus, mit rot geränderten Augen. Wahrscheinlich hatten sie und ihre Mutter wieder die halbe Nacht gestritten, so wie vorher, als Christoph noch lebte und ihre Mutter nicht wollte, dass Ulrike sich an ihn hängte.

»Darauf kann sie sich verlassen«, wiederholte sie, und ich glaubte es ihr. Sie hatte sich verändert. Nicht mehr dieses sanfte Gesicht von früher, dieser Typ Jungfrau Maria im Rosenhag. Sie sah viel fester aus, trotzig. Ich konnte mir vorstellen, dass sie ihre Geige nehmen und gehen würde. Und dass sie genau wusste, wohin und wozu. Nicht so wie Christoph – abhauen, ohne Ziel und Zweck, nur um weg zu sein.

»Aber meine Mutter tut es nicht«, sagte sie. »Bestimmt nicht. Ich finde es bloß schlimm, dass sie damit droht.«

Wir hatten die große Brücke überquert, die Straße wurde steil: der Hurler Berg. Ein paar Mal traten wir noch in die Pedale, dann mussten wir absteigen und schieben.

Ulrike schwieg. Dicht am Straßenrand gingen wir hintereinander her. Die erste Kurve, die zweite. Ich dachte nicht mehr an Ulrike. Ich hatte Schwierigkeiten zu atmen. Als ob etwas meinen Brustkasten nach innen drückte. Die dritte Kurve, wo der Stein gelegen hatte. Ein schwarzer Klumpen mitten auf der Straße. Und Christoph rast um die Kurve, rast wie ein Verrückter. Ich rase mit. Ich will nicht, aber ich rase, weil Christoph rast. Er rast um die Kurve, und da liegt der Stein, und der Lastwagen kommt ihm entgegen, und Christoph rast gegen den Stein …

»Martin!«, rief Ulrike.

Schade, dass sie nicht eher gerufen hatte. Jetzt war es zu spät. Ich tauchte zwar auf aus diesem Horrortrip und wusste, dass der Unfall und der zerquetschte Christoph und das viele Blut und sein Kopf ohne Gesicht in der Vergangenheit lagen. Aber ich wusste es nur mit meinem Verstand. Mein Nervensystem oder was immer das war, steckte mitten darin, so, als wäre es eben erst passiert.

Ich stand am Wegrand und kotzte, kotzte, kotzte.

Ich wurde ganz hohl, wie eine leere Flasche, wie etwas, das jeden Moment auseinander brechen kann. Als es vorbei war, schob mich Ulrike die Böschung hinunter. Ich ließ mich ins Gras fallen und keuchte und ächzte und merkte nach einer Weile, dass mein Kopf in Ulrikes Schoß lag. Nicht direkt in ihrem Schoß, mehr auf ihren Beinen. Aber ich dachte: In ihrem Schoß und es war schön, das zu denken.

Oben rauschten die Autos über den Hurler Berg, weit weg, ganz weit weg. Wir saßen allein an der Böschung, nur das Rauschen drang zu uns, sonst nichts. Ich spürte Ulrikes Wärme und das hohle Gefühl verschwand. Ich war froh, dass Ulrike da war und dass ich sie spürte. Ich konnte an den Hurler Berg denken und an den Stein und den Lastwagen ohne durchzudrehen, bloß, weil sie da war.

Christoph. Mein Gott, wie konnte Christoph so etwas sagen. »Es ist nichts«, hatte er gesagt. »Man denkt, es ist was, aber es dauert fünf Minuten oder ein bisschen länger, und dann ist es vorbei und gewesen und nützt einem gar nichts.«

Er hatte es gesagt, nachdem er mit Ulrike im Bett gewesen war, in ihrem Bett, in ihrem Zimmer.

Sie hatte es gewollt, er nicht. Ob sie wusste, dass Christoph es mir erzählt hatte?

»Sie wollte mir helfen«, hatte er gesagt. »Deshalb hat sie es getan. Damit ich nicht mehr so traurig bin. Stell dir das vor. Nicht mehr so traurig sein – deswegen. Ich habe gleich gewusst, dass es nichts nützt. Im Gegenteil, hinterher ist es noch schlimmer. Aber das begreift sie natürlich nicht.«

Er hatte es mir in Wien erzählt, vor zehn Tagen erst, nach seiner Flucht, als ich versuchte ihn wieder nach Hause zu holen. Wir waren auf den Kahlenberg hinaufgefahren, bis zum Aussichtspunkt, hatten an der Mauer gestanden und über die Stadt geblickt.

»Aber du hast doch Ulrike«, hatte ich gesagt, und dann hatte er es mir erzählt, leise, beiläufig, als ob es ihn nichts anginge.

»Ich denke, du magst sie?«, hatte ich gefragt. Ich hätte gerne mehr gewusst. Ich hatte noch nie mit einem Mädchen geschlafen und hatte Angst, dass ich dabei etwas falsch machen und alles vermasseln könnte, und Christoph wusste es jetzt. Aber ich traute mich nicht. Er sah so verschlossen aus mit dem vom Wind geröteten Gesicht und der Kapuze, die er sich über den Kopf gezogen hatte.

»Natürlich mag ich sie«, sagte er. »Aber es nützt nichts. Ich habe sie nicht nötig.«

Das hatte sie von ihrem Krankenschwesternkomplex. Ich verstand ja, dass sie ihm helfen wollte. Christophs Traurigkeit – man dachte immer, man müsste hingreifen und sie wegräumen, wieder und wieder, und eines Tages würde man es schaffen. Aber dort auf dem Kahlenberg hatte ich nur Mitleid mit Ulrike. Ich stellte mir vor, wie sie auf dem Bett lag und Christoph bei ihr, und vielleicht war sie glücklich und wollte gestreichelt werden und er sagte nur: »Es nützt nichts – hinterher ist es noch schlimmer.« Ich konnte nicht verstehen, dass Christoph ihr so etwas angetan hatte, und einen Moment lang, für den Bruchteil einer Sekunde, hätte ich am liebsten in dieses verschlossene, abweisende Gesicht hineingeschlagen. Obwohl, wenn ich darüber nachdenke, jetzt, wo alles vorbei ist ... er war, wie er war. Er konnte es nicht ändern. Und das, was Ulrike »traurig« nannte – wahrscheinlich, weil sie sich vor dem Wort »Verzweiflung« fürchtete –, gern war er das nicht.

»Es hat keinen Sinn«, hat er einmal gesagt, kurz nachdem er zu uns gekommen war. »Alles, was ist, geht vorbei. Warum soll man überhaupt versuchen, es festzuhalten?«

Das war sein Thema, unser Thema.

Und jetzt lag ich an der Böschung, den Kopf in Ulrikes Schoß, so wie sonst Christoph bei ihr gelegen hatte, und ohne sie – wer weiß, wohin es ohne sie gekommen wäre mit mir auf dem verdammten Hurler Berg. Christoph war tot, aber ich nahm es ihm immer noch übel, was er über Ulrike gesagt hatte.

6

An diesem Morgen kamen wir erst zur zweiten Stunde in die Schule. Mit dem Zug wäre es noch später geworden, aber als wir beim Bahnhof die Räder in den Ständer stellten, hielt Harry Martuschek mit seinem roten Porsche und nahm uns mit.

»Was ist denn mit euch los?«, fragte er. »Brave Kinder wie ihr sollten doch längst in der Schule sitzen.«

»Wir wollten uns an dir ein Beispiel nehmen«, sagte Ulrike und Harry lachte und fegte mit quietschenden Reifen um die Kurve.

Er ist im vorigen Herbst achtzehn geworden; seitdem kommt und geht er, wie es ihm passt. Manchmal erscheint er erst in der vierten Stunde, manchmal gar nicht. Viele in unserer Klasse sind schon mündig, alle, die einmal hängen geblieben oder ein Jahr später zur Schule gekommen sind, und natürlich ist es eine gute Sache, sich seine Entschuldigungen selber schreiben zu dürfen und dann und wann ein Fach zu schwänzen, das einem sowieso nichts bringt. Aber so wie Harry Martuschek treibt es keiner. Die anderen kriegen allmählich Angst, er könnte ihnen die ganze Tour vermasseln. Dass die Lehrer sich seine Kopfschmerzen und Magenverstimmungen und Tantenbeerdigungen auf die Dauer bieten lassen, ist kaum anzu-

nehmen, und unter einer verschärften Schulord-
nung hätten alle zu leiden. Jedenfalls sagen sie, er
solle sich gefälligst ein bisschen solidarisch verhalten.

Aber da sind sie bei Harry Martuschek an der
falschen Adresse. Der lacht bloß darüber. Er pfeife
auf Solidarität, sagt er, und er erwarte auch keine.
Von ihm aus könne sich jeder öffentlich von ihm
distanzieren, das nehme er nicht übel. Und wenn
er von der Schule geschmissen würde, bitte, das sei
sein Bier.

Sich von Harry Martuschek distanzieren! Als
ob das einer täte. Dafür imponiert er ihnen zu sehr
und hat auch zu viel zu bieten. Mit dem Porsche
und den Partys und dem ganzen Drumherum.
Seine Eltern sind bei einem Flugzeugabsturz ums
Leben gekommen; aufgewachsen ist er bei irgendwelchen Verwandten und an seinem achtzehnten
Geburtstag hat er sich selbstständig gemacht – mit
der Erbschaft seiner Eltern; Häuser, Industriebe-
teiligungen, Aktien. Es muss eine Menge sein. So
viel, dass er sein Leben lang nicht zu arbeiten
braucht, behauptet er, und die Lehrer, diese armen
Schlucker, die könnten ihn mal. Er wohnt in unserem Dorf, in einem der Bungalows, die der Moser-
Bauer auf seinem ehemaligen Kartoffelacker gebaut hat, ein toller Luxusschuppen mit Schwimm-
becken, Sauna im Keller, Bierstüberl. Harrys
Freundin, die Gisela Holz aus der Parallelklasse,
wohnt mit ihm zusammen. An ihrem achtzehnten

Geburtstag ist sie ebenfalls zu Hause ausgezogen – ausgerechnet die Gisela, die Tochter unseres evangelischen Pfarrers. Das war vielleicht ein Theater! Das ganze Dorf stand Kopf. Und der Moser-Bauer, der als frommer CSU-Gemeinderat die Evangelischen und Linken nicht mag und sich nicht davon abbringen lässt, dass Pfarrer Holz SPD wählt, hat ihnen mit Wonne den Bungalow vermietet.

Ehrlich, dem Holz hätte ich das nicht gegönnt. Viel los ist zwar nicht mit ihm. Er hat mich konfirmiert, und er und SPD, da kann man nur lachen. Er ist auf so eine verkrampfte Art modern – Kirche und modernes Leben, in dieser Richtung, beziehungsweise das, was er sich darunter vorstellt. Am Tag vor der Konfirmation zum Beispiel, als wir den Gang zum Altar geübt haben, hat er folgende Show abgezogen: »Also«, hat er gesagt, »immer zu zweit vortreten. Wenn ihr vor mir steht, kommen Name, Spruch und Segen. Bitte, die ersten zwei vortreten. Name – Maier, Müller. Spruch – Rhabarberrhabarberrhabarber. Segen. Deckel drauf. Fertig.« Und dann hat er bei jedem, der probeweise zu ihm an den Altar kam, das gleiche gemurmelt: Rhabarberrhabarberrhabarber, Deckel drauf, fertig. Am nächsten Tag, bei der eigentlichen Konfirmation, konnte ich weiter nichts denken als Rhabarberrhabarberrhabarber und Deckel drauf. Damit hat mich Pfarrer Holz ins Leben entlassen.

Vielleicht hat er es mit seiner Gisela ähnlich gemacht und sie ist deshalb von zu Hause weggezogen. Trotzdem – dass der Moser sich auf seine Kosten die Hände reibt, ärgert mich.

Aber über so etwas macht Harry Martuschek sich keine Gedanken. Er wohnt mit Gisela in seinem Traumhaus und die Partys, die er jedes Wochenende gibt, sind eine Art Geheimtip. Ich glaube, manche aus unserer Klasse würden ihm die Füße lecken bloß um dabei sein zu dürfen – schon wegen dem Whisky. Außerdem sind haufenweise fremde Mädchen da, wer will, kann auch kiffen, und die ganze Sache ist absolut störungsfrei; keine Eltern und dergleichen, die kurz nach Mitternacht ihren Koller kriegen.

»Gehst du zu Harry?«, heißt es schon am Donnerstag, und alle, die er nicht einlädt, fühlen sich diskriminiert. Das heißt, nicht alle, das wäre übertrieben. Aber Zweidrittel bestimmt.

Christoph und ich waren auch einmal dort. Wenn ich daran denke …

»Warum nicht?«, hatte Christoph gesagt. »Mal sehen, wie es ist, wenn die Meute sich vergnügt.«

Als wir hinkamen, fand ich es noch ganz lustig. Nicht gerade die Musik. Das, was Harry Martuschek über die Lautsprecher laufen lässt, ist nicht nach meinem Geschmack. Aber der heiße Leberkäse schmeckte gut und wir blödelten und tanzten, wie das so geht auf Partys. Auch Christoph machte mit. Manchmal konnte er wahnsinnig komisch sein, auf eine Art, die mit todernstem Gesicht einen ganzen Saal zum Lachen bringt. An diesem Abend war er spitze. Obwohl es mir nicht ganz geheuer vorkam. Harry Martuschek füllte ihm immer wieder das Glas und zum Schluss wurden Christophs Blödeleien so gut, dass sie außer mir keiner mehr verstand.

Ohnehin flippte einer nach dem anderen aus, kein Wunder bei den harten Sachen, die es zu trinken gab. Zuerst wurde noch gegrölt, dann räkelte sich alles auf den Matratzen und knutschte.

Bloß ich hatte kein Mädchen. Ich war auch nicht betrunken. Nur ein bisschen beduselt, weil mir von harten Drinks schlecht wird. Jedenfalls, zum Lockerwerden reichte es nicht. Und ich konnte sowieso nicht, was die anderen konnten – ein bisschen quatschen und dann auf der Matratze landen. Nicht einmal, als sich eine lange Blonde, die mir eigentlich ganz gut gefiel, an mich heranmachte, schaffte ich es. Eigentlich hätte ich es ganz gern getan um es irgendwie hinter mich zu bringen und Bescheid zu wissen. Aber ich merkte, dass sie aus dem Mund roch, nach Schnaps und Zigaretten und Knoblauch, und ließ sie stehen.

Dabei war das mit dem Geruch nur ein Vorwand. In Wirklichkeit hatte ich keinen Mut. So ging es mir immer. Ich stand da und guckte zu und hielt es langsam nicht mehr aus. Ich wollte abhauen, und als ich meinen Parka suchte, fand ich Christoph.

Er lag in der Lücke zwischen einem Schrank und einer Truhe, total blau, mit einem Mädchen, das an ihm rumfummelte. Ich weiß noch, wie er mich ansah – die Augen weit aufgerissen, das Gesicht weiß und so ein halbirres Lächeln darin.

»Ganz schön säuisch«, lallte er.

Dann schob er das Mädchen weg, stand auf, taumelte, wollte sich auf die Truhe setzen und setzte sich daneben.

Ich bekam eine Wut, auf Christoph, dass er so aussah, und auf Harry Martuschek, der daran schuld war. Ich zog Christoph hoch und wollte ihn nach Hause bringen. Aber nach ein paar Schritten draußen auf der Straße ist er zusammengesackt, bewusstlos, man merkte kaum noch, dass er atmete.

Ich bin zu Harry zurückgelaufen und habe unseren Arzt aus dem Bett telefoniert und so haben wir Christoph noch rechtzeitig ins Krankenhaus bringen können. Alkoholvergiftung. Er hätte daran sterben können. Na ja.

»Das hat man davon, wenn man es mit der Meute treibt«, sagte er, als ich ihn am nächsten Tag besuchte. Er lag in dem weißen Zimmer und in dem weißen Bett und war so weiß wie alles andere rundherum. Wir sprachen fast nichts und ich ging bald wieder.

So viel zu Harry Martuschek und seinen Partys. Eigentlich hatte ich nicht in seinen Porsche steigen wollen, als er neben Ulrike und mir hielt. Damals, nach Christophs Besäufnis, hatte er gesagt: »Ist ja klar, dass dieser Saftheini nichts verträgt«, und zu Typen, die solche Töne von sich geben, sollte man die Beziehungen abbrechen. Außerdem hatte ich Angst vor seinen Redensarten: »Na, ihr armen Leidtragenden, habt ihr euch ausgeweint«, oder dergleichen. Aber er blieb ziemlich schweigsam, nur ein paar Bemerkungen über sein Auto, sonst nichts. Es klang verklemmt und unsicher – zum Beispiel: »Dieser Wagen fährt wirklich ausgezeichnet« – wo er doch normalerweise »dieser Schlitten zischt ganz schön ab« gesagt hätte. Dabei blickte er stur geradeaus durch die Windschutzscheibe, nie auf Ulrike oder mich.

In der Klasse benahmen sie sich ähnlich. Als wir eintraten, kurz bevor Mathe-Mayer kam, wurde es still. Alle starrten uns an, so bewegungslos, dass ich einen Moment das Gefühl hatte, Ulrike und ich wären die einzigen Lebenden zwischen lauter Wachsfiguren. Dann setzten die Stimmen wieder ein, fast gleichzeitig, niemand schien sich um uns zu kümmern. Aber ich spürte ihre mitleidigen und neugierigen Blicke schräg aus den Augenwinkeln. Wir, die Christoph am nächsten gestanden hatten, seine Hinterbliebenen sozusagen – klar, dass es sie interessierte, was für Gesichter wir machten. Zumal das Ganze sowieso ein halber Krimi war – Christophs Verschwinden vor dem Unfall und alles, was damit zusammenhing. »Die Meute«, hatte Christoph sie genannt.

Ich ging zu dem Tisch, an dem wir gesessen hatten: Christoph, Yogi, Mops und ich. Yogi und Mops gaben mir die Hand – auch das war sonst nicht üblich zwischen uns. Es fehlte nur noch, dass sie »Herzliches Beileid« gemurmelt hätten und ich sagte: »Brecht euch bloß keinen ab.«

Sie grinsten, Yogi mit seinem langen Gesicht, in dem der Kinnbart wie ein ausgefranster Pinsel hängt, Mops mit seinem runden Pfannkuchen. Ich war froh, dass wenigstens sie noch da waren. Die anderen gingen mich sowieso nichts an.

Die Meute …

Mathe-Mayer erschien. »Morgen«, sagte er, stellte sich an die Tafel und feuerte los. Ich hörte nicht zu.

Ich saß auf meinem Platz neben Christophs leerem Stuhl und überlegte, ob er Recht gehabt hatte mit diesem Wort. Ich dachte an die Zeit vor Christoph, als ich ganz gut mit denen aus meiner Klasse ausgekommen war, jedenfalls nichts gegen sie gehabt hatte – abgesehen von ein paar Typen wie diesem Streber Dagobert, der seit Jahren das Klassenbuch führt und sich beinahe als rechte Hand des Kultusministers vorkommt. Die anderen – sicher, die meisten kannten sich kaum, höchstens ein bisschen Schulterklopfen und In-die-Rippen-Boxen. Trotzdem, ich hatte immer das Gefühl gehabt, dazuzugehören. Meute? Nein, so hatte ich es nie gesehen. Auch wenn sie mich später, als meine Schwierigkeiten anfingen, als ich nicht mehr las, was sie lasen, ihre Musik nicht mehr mochte, nicht mehr verstand, warum sie lachten, nicht mehr mitmachen wollte, ziemlich nervten. Aber damals, kurz bevor Christoph auftauchte, nervte mich beinahe alles.

»Sie lesen Bravo«, hatte Christoph gesagt. »Sieh sie dir an. Bravo und Fußball. Hast du von denen schon mal einen eigenen Gedanken gehört?«

»Alle auch nicht«, hatte ich gesagt und er hatte mich spöttisch angesehen: »Na, dann eben Tischtennis.«

Von Anfang an war Feindschaft zwischen ihm und den anderen gewesen.

»Dieser hochnäsige Spinner«, sagten sie. »Worauf bildet der sich eigentlich was ein?«

Sie sagten nicht: »Der mit seinen miesen Noten«, weil das als unanständig galt. Aber sie meinten es.

Wir standen kurz vor der Oberstufe und der Leistungsdruck war dabei, den Rest von dem, was der Direktor in seinen Weihnachtsansprachen »Klassengemeinschaft« nannte, kaputtzumachen. Die alten Sitten galten nur noch pro forma. In Wirklichkeit gab es schon eine ganze Reihe, die genau aufpassten, welche Noten andere an Land zogen, und die bei Klassenarbeiten immer ganz zufällig ihre Hände über die Blätter legten. Abschreiben war bei denen nicht mehr drin. Schließlich entschied sich ja allmählich, wer später als Arzt in einer Villa mit Swimmingpool oder als Bankkassierer in einem Reihenhaus wohnen würde. Allen voran Dagobert mit seinem tollen Notendurchschnitt, der vermutlich schon jetzt den Chefarzt in München oder Hamburg anpeilt.

Was Christoph betraf – Christoph ordneten sie noch hinter den Reihenhäusern ein. Dabei hätte er nur den kleinen Finger krumm zu machen brauchen, und selbst Dagobert, dieser Glanzarsch, wäre vor Neid erblasst.

Nur den kleinen Finger, das hätte gereicht. Aber er tat es nicht. Er tat überhaupt nichts. Gut, hin und wieder schrieb er einen Aufsatz, dass die Göbler vor Begeisterung aus dem Häuschen geriet, obwohl sie ihn nicht ausstehen konnte. Aber sonst? Sogar in Erdkunde und Ethik hatte er »mangelhaft«; es war schon zum Lachen. Wo er zu Hause, wenn er nicht Klavier spielte, ständig mit irgendwelchen Philosophen auf dem Teppich lag und bestimmt ebenso viel wusste wie der Bernheimer, der uns eine Art Schnellwäsche in abendländischem Denken verpassen musste, obwohl er nur für Erdkunde und Geschichte zuständig war. Das hatte er uns selbst in der ersten Ethik-Stunde gesagt und er wolle sein Bestes versuchen und bäte um unsere Mitarbeit.

Klar, dass es ihm auf die Nerven ging, wie Christoph sich verhielt. Der saß da, machte ein Gesicht wie ein Pferd, spielte auf der Bank seinen Chopin – bis der Bernheimer, an sich ein ganz freundlicher Typ, in Raserei geriet.

»Sie sind doch kein Dummkopf«, brüllte er. »Was haben Sie gegen Philosophie?«

Mit dem, was Christoph darauf erwiderte, verdarb er es endgültig mit Bernheimer.

»Philosphie?«, fragte er und lächelte sein Zumbeck-Spezial. »Ach, machen wir hier Philosophie?«

»Musste das sein?«, hatte ich ihn nach der Stunde gefragt.

Er hatte mit den Schultern gezuckt. »Soll ich etwa mit Dagobert über Schopenhauer diskutieren?«

Vielleicht hatte er Recht. Möglich. Aber andererseits – die Klasse bestand nicht nur aus Dagoberts. Damals habe ich genickt. Zu allem, was er sagte, habe ich genickt. Jetzt nicht mehr. Es ist zu viel passiert inzwischen. Aber Christoph – der war nun einmal so, dass er es nicht aushielt: diese ganze Banalität der Klasse, dreißig Mann und dazu noch die Lehrer mit ihrem Notentick. Er mit seinem Anspruch auf absolute Vollkommenheit. Arrogant, nein, dieses Wort trifft nicht das, was Christoph war und wie er mit den Menschen umging. Auch noch wenn ich ihn kritisiere, weiß ich, dass man mit solcher Kritik nicht an ihn herankommt. Dass man ihm Unrecht tut mit Kritik. Dass man eigentlich Mitleid haben müsste, weil er etwas verlangte, das es nicht gibt und von dem er wusste, dass es nicht zu haben ist. Ich kannte ihn. Ich wusste Bescheid.

Aber die anderen, die ihn nicht kannten, die nicht wussten, was er dachte und womit er sich herumschlug, die nur sein hochmütiges Gesicht sahen – wie wollten die mit ihm zurechtkommen? Sie, diese Typen rechts und links von Dagobert, hassten Christoph, und wenn sie sich getraut hätten – sie hätten ihn fertig gemacht.

Aber sie trauten sich nicht. Um ihn herum stand eine Art Sperre, durch die kamen sie nicht hindurch. Wie damals, als es um die Berlinreise ging und Christoph nicht mitfahren wollte.

»Entweder fahren alle oder wir bleiben hier«, hatte die Botsch, unsere Klassenlehrerin, verkündet. »Es ist eine Unterrichtsfahrt. Wer die Mittel nicht hat, kann beim Elternbeirat einen Zuschuss beantragen.«

Eigentlich ein starkes Stück. Die Sache sollte zweihundertzwanzig Mark kosten, ein ziemlicher Brocken, und wer bettelt schon gern um Zuschuss. Aber die meisten aus der Klasse wollten unbedingt fahren, sie stellten sich etwas ganz Tolles unter der Reise vor – mit allerlei Ausflippen und so. Und andere, wie ich, dachten, immer noch besser als Schule.

Bloß Christoph war dagegen. Er meldete sich und sagte, dass er ausfiele.

»Warum denn?«, fragte die Botsch. »Es kann doch ein Zuschuss …«

»Ich brauche keinen Zuschuss«, sagte Christoph. »Ich habe keine Lust.«

Die Botsch ist so eine Dünne mit großen Augen, die sie weiter aufreißen kann als irgendjemand, den ich kenne. Graugrüne Augen übrigens, richtig schöne Augen. Und überhaupt ist sie nicht übel, ich mag sie ganz gern. Also, sie riss ihre Augen auf und starrte ihn an und sagte: »Machen Sie das mit Ihren Kameraden aus.«

Nach der Stunde standen sie um Christoph herum. »Ich habe keine Lust«, wiederholte er, und sie begriffen, was er meinte – dass er keine Lust hatte, mit ihnen eine ganze Woche von morgens bis abends zusammen zu sein.

Es war Dagoberts große Stunde.

»Wir sind eine Gemeinschaft«, tönte er. »Wir alle! Wir wollen fahren und wer sich gegen unsere Gemeinschaft stellt ...«

Peinlich, wenn jemand so redet. Überhaupt dieser Dagobert, man muss ihn nur sehen – klein, mager, zackig, tadellos kurze Haare, bei feierlichen Anlässen sogar ein Schlips, und in jedem Fach, von Latein bis Sport, mit hängender Zunge hinter dem Erfolg her. Eigentlich ist er zu bedauern, allein deshalb, weil er nie seine Sprüche los wird. Er braucht nur anzufangen, schon lacht alles.

Aber damals, bei der Berlingeschichte, lachten sie nicht. Keiner. Mindestens fünfmal durfte Dagobert ungestört sein »Gemeinschaft« schmettern. Sie hörten ihm zu, sogar die Mädchen, von denen sonst keine etwas mit ihm zu tun haben wollte.

Christoph schwieg, sein Zumbeck-Spezial im Gesicht, und ich bekam Angst. Ich sah Ulrike an, die zwischen mir und Christoph stand, und merkte, dass sie ebenfalls Angst hatte. Schließlich waren es an die zwanzig, und von denen, die sich abseits hielten, würden höchstens Yogi, Mops und Olav ihm helfen. Ich hoffte, er würde aufhören sie zu reizen. Er konnte doch sagen, okay, ich fahre mit, und kurz vor der Reise krank werden. Er brauchte ihnen seine Verachtung nicht um die Ohren zu hauen.

Christoph lächelte.

»Schluss mit deinem nihilistischen Grinsen«, geiferte Dagobert. »Gehörst du nun zu uns oder nicht?«

Christoph sah ihn an.

»Zu wem?«, fragte er. »Zu dir?«

Nur vier Worte. Aber so, wie Christoph sie aussprach, und dazu sein Lächeln ... ich glaube, ich hätte mir das auch nicht gefallen lassen.

Dagobert öffnete den Mund und zog die Luft ein. Es gab ein Geräusch wie bei einem Schluckauf. Er ballte beide Fäuste und wollte auf Christoph losgehen.

Da hob Christoph die Hand. Ganz leicht nur, keine Verteidigung, eher so ein »Fasst mich nicht an, ich finde es widerlich.« Mehr nicht.

Dagobert ließ die Fäuste sinken. Er wich zurück.

»Respekt. Der Mann ist echt gut«, sagte Harry

Martuschek, der als Zuschauer abseits gestanden hatte.

Irgendjemand lachte. Christoph ging zu seinem Platz und nahm ein Buch.

Übrigens sollte die Berlinfahrt dann doch stattfinden, auch ohne ihn. Nur ist im letzten Moment nichts daraus geworden. Wir standen schon mit unseren Koffern vor der Schule, da kam der Bus nicht, und nachdem Bio-Mayer, unsere zweite Aufsichtsperson, eine Weile herumtelefoniert hatte, erfuhren wir, dass der Inhaber des Reisebüros Pleite gemacht und ins Ausland verschwunden war. Mitsamt unserem Geld.

»Na also«, hatte Christoph gesagt. »Dies zum Thema Gemeinschaft. Gut, dass ich keine zweihundertzwanzig Mark in die Idee investiert habe.«

Damals habe ich genickt, wie üblich, und mir gewünscht, ich hätte auch keine zweihundertzwanzig Mark investiert.

Aber hatte er Recht gehabt?

Der Freitag nach Christophs Beerdigung. Ich saß an unserem Tisch neben Christophs leerem Stuhl und dachte darüber nach. Nicht zum ersten Mal. Seit er von zu Hause weggelaufen war, habe ich dauernd darüber nachgedacht.

Hat er Recht gehabt?

Was heißt das eigentlich, die Meute? Ich drehte mich um und sah sie an, wie sie dasaßen und Mathe-Mayer zuhörten oder nicht, wie sie mitschrieben, Männchen malten, sich anstrengten, dösten, je nachdem. Dagobert? Okay, geschenkt. Harry Martuschek ebenfalls. Und die halbe Klasse dazu. Obwohl, was wussten wir von ihnen? Berthold Landeck zum Beispiel, auch einer von den Bravo-Lesern: Vor kurzem ist er Sieger bei »Jugend forscht« geworden. Er hat das Verhalten von Fischen in einem Aquarium beobachtet, zwei Jahre lang, und irgendetwas Sensationelles entdeckt.

»Na ja, Fische«, hatte Christoph gesagt. Aber zwei Jahre an einer Sache sitzen – ich weiß nicht, ob man das so abtun kann. Und wahrscheinlich gab es noch mehrere wie Berthold Landeck – Typen, von denen wir nichts hielten, weil wir nichts von ihnen wussten. So, wie sie von Christoph nichts gewusst haben.

Ob alles anders gelaufen wäre, wenn sie mehr voneinander gewusst hätten?

Yogi stieß mich an. »Schläfst du?«, fragte er.

Ich hatte nicht einmal gemerkt, dass es klingelte.

Als ich aus dem Klassenzimmer gehen wollte, rief mich Mathe-Mayer zu sich.

Ich fürchtete schon, er würde mir etwas verpassen, weil ich die ganze Stunde geistig weggetreten war. »Nicht, dass es mich interessiert, ob Sie Ihre Kenntnisse aufstocken. Aber völlig leere Gesichter irritieren mich« – so auf seine kühle Tour.

Ich sah an ihm vorbei und wartete.

»Hätten Sie heute Nachmittag vielleicht Zeit«, fragte er.

Ich begriff nicht, was er wollte. »Habe ich irgendetwas gemacht?«, fragte ich.

»Herrgott, gemacht!«, sagte er. »Können Sie denn bloß in solchen Kategorien denken? Ich möchte mit Ihnen reden, über eine Sache, die mich beschäftigt.« Ich war perplex. Was hatte Mathe-Mayer mit mir zu reden?

Schließlich sagte ich, dass ich Zeit hätte, und er fragte, ob ich so gegen halb vier bei ihm in der Wohnung sein könne. Ich empfand es eigentlich als Zumutung, weil ich Fahrschüler bin. Aber er wusste es wohl nicht oder dachte nicht daran, und als er »Passt es Ihnen auch?« fragte, irgendwie unsicher, anders als sonst, sagte ich, dass ich käme.

Er nahm meine Hand und schüttelte sie. Wirklich seltsam.

»Vielleicht ist er schwul«, meinte Yogi. »Stell dir vor, ein Verhältnis mit Mathe-Mayer! Wie das den Notendurchschnitt heben würde! Womöglich kannst du doch noch Medizin studieren.«

Er hatte es gut. Er konnte schon wieder blödeln.

Es ereignete sich nichts Besonderes mehr an diesem Vormittag. Mathe-Mayer. Die Botsch, die mich mit ihren großen Augen ansah und sagte: »Es tut mir wirklich Leid, Martin.« Geschichte – Bismarcks Sozialgesetzgebung – und noch Chemie.

Aber dann lief ich dem dicken Morgenfeld über den Weg.

Ich ahnte Schlimmes und tatsächlich, er blieb

stehen, legte seinen Arm um mich und sagte mit triefender Stimme: »Hoffentlich ist es nicht zu schwer für Sie, mein lieber Martin.«

Am liebsten hätte ich auf seine Hand gespuckt, die wie ein schwammiges Tier auf meiner Schulter lag. Stocksteif stand ich da und wartete darauf, dass er sie entfernte.

Aber der dicke Morgenfeld war noch nicht fertig.

»Dort, wo Christoph Zumbeck jetzt ist«, sagte er, »dort im Jenseits wird er erfahren, ob er immer richtig gehandelt hat.«

Ich hatte es gewusst, der dicke Morgenfeld schreckte vor nichts zurück. Wenn ich daran denke, wie er Christoph gequält hat, dieser fette Sadist. Keiner der Lehrer war so schlimm gewesen wie er. Klar, jeder hatte hin und wieder versucht, sich ein bisschen zu rächen, außer dem Hansen natürlich. Konnte man ihnen ja auch nicht übel nehmen. Aber der dicke Morgenfeld hatte ihn gequält. Obwohl Christoph sich ausgerechnet in diesem Fach angestrengt hatte, nur, um dem dicken Morgenfeld nicht das Vergnügen zu gönnen. Aber so leicht ihm alles andere fiel – in Latein war er eine Niete. Die Stelle im Gehirn, mit der man lateinische Vokabeln behält und lateinische Grammatik begreift, gab es bei ihm offenbar nicht. Und der dicke Morgenfeld wusste das. Fast in jeder Stunde holte er ihn heraus, fragte ihn ab, verhöhnte, beleidigte ihn und wurde dabei immer fröhlicher.

Merkwürdig, was die Lehrer sagten und taten, ließ Christoph sonst ziemlich kalt. Aber dass dieser feiste, stumpfe Typ ihn in der Hand hatte, dass er mit ihm machen konnte, was er wollte, hielt er nicht aus. Wenn der dicke Morgenfeld ihn in Ruhe gelassen, ihn nicht schikaniert hätte Tag für Tag, vielleicht wäre er nicht abgehauen, vielleicht wäre die ganze schreckliche Geschichte, zu der am Schluss auch Christophs Tod gehört, nicht passiert.

Und dieser Mensch, dieser Morgenfeld, legte den Arm um meine Schulter und schmalzte vom Jenseits.

Ich habe nicht auf seine Hand gespuckt. Ich blieb stehen und er sagte: »Ich hoffe, Sie finden jetzt wieder den richtigen Weg.«

Da hielt ich es nicht mehr aus. Ich machte mich los.

»Was meinen Sie mit jetzt?«, fragte ich. »Jetzt, wo Christoph Zumbeck endlich tot ist?«

Er starrte mich an. Er war so verblüfft, dass er nicht einmal antwortete.

»Sie sind schuld«, schrie ich ihn an. »Und Sie wissen, dass Sie schuld sind. Sie haben ihn fertig gemacht. Und jetzt denken Sie vielleicht, Sie können mit mir anfangen. Aber da haben Sie kein Glück. Ich kann nämlich Latein, wenn ich will. Und jetzt will ich. Den Spaß, mich fertig machen zu können, kriegen Sie nicht. Und ich werde überall erzählen, was Sie mit Christoph gemacht haben, überall.«

»Halten Sie den Mund«, sagte der dicke Morgenfeld mit einer Stimme, als sei sein Hals zugeschwollen. Er war weiß geworden, tatsächlich, ganz weiß. Ich merkte, dass er Angst hatte, der Feigling. Ich übrigens auch. Ich zitterte vor Aufregung und Angst.

»Sie sind ja völlig durcheinander«, sagte er und seine Stimme klang wieder sanft und ölig. »Diese traurige Angelegenheit hat Sie mitgenommen. Vielleicht sollten Sie sich ein paar Tage ausruhen? Wenn Sie wollen, spreche ich mit dem Herrn Direktor.«

Na also, das war's. Er wollte mich bestechen. Mit Extraferien. Er bettelte um gut Wetter. Und wartete darauf, mir ein Bein zu stellen.

Du hast doch Recht gehabt, Christoph. Die Meute.

7

Zu Hause lag ein Zettel auf der Dielenkommode. »Musste dringend zu ai fahren. Mach dir Sauerkraut und Kartoffeln warm. Bitte Milch holen«, hatte meine Mutter aufgeschrieben.

ai – das ist ihre Abkürzung für Amnesty International. Dringend zu ai fahren – da hatten die sie wieder einmal nach München zitiert. Immer, wenn etwas Dringendes zu erledigen ist, rufen sie meine Mutter an. Und die fährt natürlich sofort los. Ich sagte ja, dass sie zu den Leuten gehört, die aus dem Stand springen. Und Amnesty ist für sie, glaube ich, das Zweitwichtigste auf der Welt. Zuerst ich, dann Amnesty – wahrscheinlich noch vor meinem Vater. (Von dem ich allerdings nie weiß, wie wichtig er für sie ist.)

Nichts gegen Amnesty. Ich war früher auch dabei. Meine Mutter hat mich mitgenommen und ich habe Briefe gefaltet und Adressen geschrieben und Briefmarken aufgeklebt – lauter läppische Sachen. Aber wenn ich dasaß und an den Briefmarken leckte, dachte ich an die politischen Gefangenen in Südamerika oder Afrika oder in der Sowjetunion oder sonstwo auf der Welt und es machte mir Spaß, etwas für sie zu tun.

Schade, auch das hat aufgehört, ganz allmählich. Es gab so wenige Erfolge, und kaum einer ging auf das Konto unserer Gruppe. Der Betrieb nervte mich mehr und mehr. Außerdem fing ich an intensiv Gitarre zu üben und hatte keine Lust mehr, meine Zeit herzugeben. So allein, wie ich damals war – Briefmarkenkleben für Amnesty konnte mir nichts geben. Das konnte nur die Gitarre.

Und dann kam Christoph, der mir noch die letzten Illusionen zerrupfte.

»Ach Gott ja, diese Windmühlenflügelbekämpfer«, sagte er. »Die mit ihrem Idealismus, die machen alles noch schlimmer. Zigtausend politische Häftlinge – und wie viele kriegen sie frei? Vielleicht 0,00001 Prozent. Und das wird dann in die Welt hinausposaunt als Erfolg. Die kapieren nicht, dass sie bloß ein Alibi sind. Es gibt ja Amnesty, also wird's schon nicht so schlimm sein.«

Meine Mutter bekam einen Koller, als ich ihr das erzählte. Selten habe ich sie so zornig erlebt.

»Dieser asoziale Typ«, tobte sie. »Der sollte mal im Gefängnis sitzen wegen seiner politischen Überzeugung – und dann Briefe kriegen von Amnesty und die Aussicht auf Hilfe –, dann wüsste er, wovon er redet. Aber dem passiert so was natürlich nicht, weil er überhaupt keine Überzeugung hat. Und so einen sucht sich mein Sohn als Freund aus. Ich habe mir immer einen Sohn gewünscht, der sich für andere einsetzt – und jetzt habe ich einen, der nur seinen eigenen Bauchnabel betrachtet …«

Sie konnte sich nicht beruhigen, bis sich mein Vater einmischte, der zufällig zu Hause war.

»Du mit deinen endgültigen Urteilen«, sagte er. »Als Martin drei war, bist du verzweifelt, weil du ihn nicht sauber kriegtest. Als er mit fünf noch nicht lesen konnte, hast du ihn für beschränkt gehalten. Inzwischen macht er nicht mehr in die Hosen und hat lesen gelernt. Also was soll's.«

Das Sauerkraut stand im Kühlschrank. Ich hatte

keine Lust, es aufzuwärmen und aß es so, wie es war, mit den wabbeligen, kalten Fleischstückchen dazwischen. Ein Genuss war es nicht.

Dann fuhr ich zum Milchholen ins Dorf.

Es war das erste Mal seit Christophs Tod, dass ich wieder ins Dorf fuhr, abgesehen von der Beerdigung. Auch vor diesem Weg hatte ich Angst. Wahrscheinlich würde ich in Zukunft vor allen Wegen Angst haben, die ich gemeinsam mit Christoph gegangen war. Und dieser erst, der in die Felder hinausführte, am Friedhof vorbei, zum Wald! Ich brauchte nur die Augen zuzumachen, dann war das Bild da: Christoph, ich, der Hund, und es regnet oder der Himmel ist föhnblau, Hühner gackern, ein Traktor rattert vorüber …

Dieser Weg ins Dorf. Das Kloster mit der Kirche und der Klosterwirtschaft. Die Straße, von Bauernhöfen und Gärten gesäumt. An der Biegung der Weiher, grün von Entengrütze, Trauerweiden, die ihre Zweige hineinhängen lassen. Von weitem sieht es so idyllisch aus wie ein Postkartenbild, aber wenn man näher kommt, stinkt es nur noch, weil der Waldner, dessen Hof gleich daneben liegt, seine Jauche in den Weiher laufen lässt. Die Nachbarn reichen eine Beschwerde nach der anderen ein, vor allem der Bäcker Herbig, in dessen Laden es nicht nach frischen Semmeln, sondern nach Jauche riecht. Hin und wieder erscheint eine Kommission und der Waldner muss Strafe zahlen. Aber das stört ihn nicht, er hat Geld wie Heu vom

Landverkauf, er kann sich den stinkenden Weiher leisten.

Dieser Weiher! Geradezu ein Symbol für unser Dorf, in dem sich keiner mehr um den anderen schert, seitdem das große Geld gekommen ist. Früher war jeder auf die Hilfe des Nachbarn angewiesen – sich gegenseitig Maschinen ausleihen, in Krankheitsfällen einspringen, gemeinsam ins Holz fahren. »Aber jetzt«, sagt die Pachl-Bäuerin, bei der wir Milch und Eier kaufen, »haben die Reichen alle Maschinen, die sie brauchen, und pfeifen auf die andern. Und die armen Hunde, die sind schlechter dran als vorher.«

Im Dorf gibt es nämlich zwei Klassen: Die Landverkäufer und die armen Hunde, deren Äcker und Wiesen außerhalb der Bebauungszone liegen. Man muss sich das vorstellen: Diese sauren Wiesen, auf denen so hartes Gras wuchs, dass sogar die Oberrieder Kühe es nur im Notfall gefressen haben – für Millionen sind sie an Käufer aus der Stadt weggegangen. Und der Boden wird immer teurer, weil die Landschaft so schön ist und die Autobahn in der Nähe und die S-Bahn nach München und alles, was man braucht. Und die Landverkäufer müssen sehen, wie sie mit dem vielen Geld fertig werden.

Zuerst haben sie sich neue Häuser gebaut, ganz vernünftige zum Teil, wie sie ins Dorf passen. Nur der Zirngiebel, der hat sich eine Art Schloss hingesetzt, beinahe wie Ludwig II., mit einem Turm. Es geht das Gerücht, er hätte in sämtlichen Zimmern Seidentapeten, aber genau weiß man das nicht, weil der Zirngiebel niemand ins Haus lässt, aus Angst um seine Schätze. Er wohnt auch nicht darin, weil er weiter auf dem Feld arbeitet und mit seinen dreckigen Stiefeln lieber in das alte Haus geht, in dem er groß geworden ist und das er stehen gelassen hat. Überhaupt gibt es einige, die Bauern geblieben sind. Der Turner zum Beispiel. Früher hat er von seinem Land nicht leben können und nebenbei in der Fabrik gearbeitet. Jetzt besitzt er einen Musterhof mit allen Schikanen. Er hat Wiesen dazu gepachtet und züchtet Pferde, Haflinger, und sieht ganz zufrieden aus. Andere dagegen haben die Wirtschaft an den Nagel gehängt und privatisieren – wie der Moser, der diese Superbungalows auf seinen Acker gesetzt hat und sie zu Maxi-Preisen vermietet: Oder der Berghofer, der pausenlos um die Welt reist, oder der Mallinger mit seiner Sternwarte oben auf dem Dach! Er geht zur Uni und hört Vorlesungen über Astronomie. Seiner Frau allerdings passt das nicht. Sie betreibt auf eigene Rechnung eine Hühnerfarm und soll ein Verhältnis mit dem zwanzigjährigen Kaminkehrergesellen haben. Doch das glaube ich nicht. Es gehört zu den Gerüchten, die sich einer über den anderen ausdenkt.

Nur was über die Sauferei erzählt wird, das stimmt. Es wird furchtbar gesoffen in unserem Dorf. Manche der Reichen verbringen den Rest ihres Lebens im Wirtshaus. Der Waldner mit seinem Weiher gehört dazu. Auch der Pachl-Bauer säuft, aber nicht, weil er zu viel Geld hat, sondern aus Wut, weil er einer von den armen Hunden ist. Entweder hockt er beim Altwirt und lässt sich voll laufen oder er liegt auf dem Küchenkanapee und schläft seinen Rausch aus. Die Arbeit muss die Pachl-Bäuerin machen – den Stall, die Felder, das Holz. Trotz ihrer geschwollenen, offenen Beine. Und nur, weil die Pachl-Wiesen dort anfangen, wo die Baulinie aufhört.

»Für die anderen«, sagt sie, »sind wir bloß noch Dreck. Dabei haben die früher genauso wenig gehabt wie wir.«

Das ist das Dorf. Und rundherum die neuen Siedlungen, die auch dazugehören, aber im Grunde so weit weg sind wie Amerika. Eine Beziehung zum Dorf wie wir hat sonst kaum jemand. Unser Haus liegt außerhalb der Neubausiedlung, dicht bei den Höfen, und von Anfang an ist meine Mutter zu den Bauern gegangen, um Milch, Eier, Geflügel zu kaufen. Sie redet mit den Dorfleuten und die Dorfleute reden mit ihr. Ich glaube, die mögen sie. Sogar Pater Aurelius. Er gibt ihr das beste Gemüse aus dem Klostergarten und die ersten Erdbeeren, obwohl wir evangelisch sind.

Ich habe mich früher nicht um das Dorf gekümmert. Aber Christoph hat es interessiert. Ich musste ihn immer mit den Storys, die meine Mutter von der Pachl-Bäuerin nach Hause brachte, versorgen.

Und eigentlich habe ich nur, weil er gern mitkommen wollte, angefangen selbst die Milch zu holen.

»Wieder etwas, das kaputtgeht«, sagte er. »Sieh dir das an. Häuser, Häuser, Häuser, und dazwischen Luft. Jedes wie ein Raumschiff im Orbit.«

Ich weiß noch, wie es war, als er das sagte – vor dem Pachl-Hof, beim Milchholen. Wir hatten schon die Gartentür aufgemacht. »Wie ein Raumschiff im Orbit«, sagte Christoph und ich fragte, was das sei, Orbit, und er sagte: »Na, hör mal, die Umlaufbahn« – und in diesem Moment stürzte die Pachl-Bäuerin schreiend aus dem Haus und der besoffene Pachl hinter ihr her mit einem Knüppel in der Hand. Blut lief ihr aus der Nase und wir wussten nicht, was wir tun sollten, weil der Pachl wie ein Stier tobte. Aber zum Glück stolperte er über die Stufen. Er fiel um wie ein Sack. Ohne sich zu rühren, lag er neben dem Salatbeet und seine Frau stieß mit dem Fuß in seinen Rücken und sagte: »Der ist erst mal hin.«

Sie wischte sich das Blut ab und gemeinsam schleppten wir den bewußtlosen Pachl zum Sofa.

Das Dorf. Die Dorfstraße. Ich fuhr über das holprige Pflaster, am Tag nach Christophs Beerdigung, und dachte an ihn und an das, was er gesagt hatte, und wie gut es gewesen war, mit ihm zusammen hier zu gehen. Und was auf dieser Straße noch passiert war und wie er es beinahe vorausgesagt hatte – wenn auch nur als Theorie, ohne eine

Ahnung davon, wie es sich in Wirklichkeit abspielen würde.

»Alles kaputte Typen«, hatte er gesagt. »Aus dem Zusammenhang gerissen und kaputt. Der Waldner mit seinem Jaucheweiher genauso wie der Berghofer mit dem Reisetick. Und da gibt es Idioten, die immer noch von Dorfgemeinschaft reden. Zur Gemeinschaft werden die höchstens wieder, wenn es gegen andere geht. Aus Neid. Oder Hass. Na ja, vielleicht erleben wir das mal. Ich bin gespannt.«

Er hat es nicht erlebt, er war nicht dabei. Aber seinetwegen ist es passiert. Ich habe daneben gestanden und musste es mit ansehen, und obwohl Christoph nichts davon wusste und es bestimmt nicht gewollt hat, habe ich ihm die Schuld gegeben.

»Ja, so ist das«, sagte die Pachl-Bäuerin, als ich ihr die Milchkanne hinhielt. »Jetzt haben S' deinen Freund in die Gruben gelegt. Hin ist hin.«

Komisch, es machte mir nichts aus, wie sie über Christoph sprach. Sie tat es so beiläufig, als ob es sich um eine kaputte Kuh oder eine kaputte Ernte handelte. Das war besser als diese ganze Sentimentalität. Sie ist ungefähr so alt wie meine Mutter, fünfundvierzig, aber man könnte sie glatt für sechzig halten, mit ihren strähnigen Haaren, dem rissigen Gesicht, den tiefen Falten von der Nase zum Mund, mit dem Bauch, dem Hängebusen und diesen fürchterlichen Beinen. Für Sentimentalität hat sie keine Zeit. Ich habe einmal gesehen, wie sie eine Gans geschlachtet hat: Den langen Hals um einen Kochlöffelstiel gewickelt, und dann ruckzuck – fertig. Das macht sie wie nichts, das gehört dazu.

»Der war nicht stark, dein Freund«, sagte sie. »Dem sah man's an, dass er nicht alt wird.«

»Er hatte einen Unfall«, sagte ich.

»Ob's eine Katz ist oder ein Kalb oder ein Mensch, man sieht's ihnen an. Die Starken und die Schwachen, die erkennt man.«

»Mit dem Fahrrad«, sagte ich.

»Das bleibt sich gleich«, sagte sie. »Mit dem Rad oder im Bett. Die Schwachen erwischt's halt. Mein Fredi, der fährt wie narrisch mit seinem Moped umeinand, dem geschieht nichts. Aber dein Freund, dem hab ich's angesehen, den erwischt's.«

Ich schwieg. Die Pachl-Bäuerin mit ihrer Privatlogik, da konnte man ebenso gut still sein.

Aber ob sie wirklich gesehen hat, dass Christoph zu den Schwachen gehörte?

8

Kurz nach vier klingelte ich bei Mathe-Mayer.

Er wohnte nicht weit von der Schule entfernt, in einer großen, um einen Innenhof errichteten Neubauanlage. Im Hof standen ein paar alte Kastanien, ein Springbrunnen plätscherte, daneben war eine Art Kinderspielplatz mit Sandkasten, Schaukel und Klettergeräten. Ganz hübsch sah das aus, nicht so nackt und nach Wohnmaschine wie sonst die Häuser in dieser Gegend. Nur mit den vielen verschiedenen Eingängen hatte ich Ärger. Und als ich endlich den richtigen gefunden hatte, gab es auch noch drei Mayers zur Auswahl auf der Klingeltafel: Ein Richard im sechsten Stock, ein Dr. L. Mayer im zweiten, und Peter Mayer im dritten. Der Doktor kam nicht in Frage, und nach Richard sah Mathe-Mayer eigentlich nicht aus. Ich entschied mich für Peter.

Die Tür wurde von einer Frau mit langen rötlichen Haaren geöffnet. Das heißt, eigentlich keine Frau, eher ein Mädchen, sehr dünn und groß, in Jeans, mit ewig langen Beinen.

»Wohnt hier Studienrat Mayer?«, fragte ich.

»So ist es«, sagte sie. »Du bist der Martin, nicht? Komm rein, Peter wartet schon.«

Sie gab mir die Hand. »Ich bin Monika Mohr.«

Ich war ziemlich erstaunt. »Peter wartet schon« – und das von Mathe-Mayer. Außerdem sagte sie du zu mir, was ich nur von Leuten mag, zu denen ich auch du sage. Und Mathe-Mayers Frau duzen? Das heißt, offenbar war sie nicht seine Frau, weil sie Mohr hieß und »Peter« sagte, statt »mein Mann«. Also, ich blickte da nicht durch. War ja auch egal. Ich kenne haufenweise Leute, die mit einem Mädchen zusammen leben. Bloß bei einem Lehrer, da ist man nicht darauf programmiert. Da erwartet man etwas vom Standesamt.

Sie führte mich ins Wohnzimmer.

»Peter kommt gleich«, sagte sie. »Rauchst du?«

Ich sagte »Nein« und sie fand das beneidenswert; sie mache jeden Monat einen Versuch, mit dem Rauchen aufzuhören, aber dann fräße sie Unmengen Schokolade, so viel, bis sie Magenschmerzen bekäme, und aus lauter Verzweiflung und weil es letzten Endes egal sei, wovon einem schlecht würde, finge sie wieder mit der Qualmerei an. Ich erzählte ihr, ich hätte früher auch geraucht, so mit vierzehn oder fünfzehn, das wäre mir aber zu teuer geworden. Und dann dieser Artikel im Spiegel, mit Bildern von Kehlkopfkrebs und Raucherbeinen, der hätte mir den Rest gegeben.

»Hast du den gesehen?«, fragte ich. »Da kriegt man zu viel. Seitdem mag ich nicht mehr.«

Ich sagte du zu ihr, das ergab sich so. Als dann Mathe-Mayer kam, wurde ich verlegen und wusste nicht mehr, wie ich sie anreden sollte.

»Ich koche Kaffee«, sagte Monika. »Und dann muss ich arbeiten. Und vergiss nicht, dass du nachher zu diesem Vortrag wolltest.«

Wir sahen hinter ihr her, wie sie mit ihren langen Beinen durchs Zimmer latschte, und Mathe-Mayer sagte: »Sie studiert Chemie.«

»Ich weiß«, sagte ich. »Sie hat es mir soeben erzählt.«

Mathe-Mayer lachte. »Monika tut sich leicht mit dem Erzählen. Bei ihr geht's immer gleich los. So ein Mädchen ist gut für mich.«

Es klang ein bisschen verkrampft, und ich muss ihn komisch angesehen haben, denn er lachte wieder und sagte: »Martin, wir sind hier nicht in der Schule. Ich habe Sie zu mir eingeladen, da könnten wir eigentlich wie zwei Menschen miteinander sprechen. Oder?«

Ich wusste nicht, ob ich nicken sollte. So einfach, wie er sich das vorstellte, ging es nicht. Schließlich konnte ich ihn nicht halbieren, in Mathe-Mayer und Peter Mayer, zwei verschiedene Menschen, die man unterschiedlich behandeln musste. Später sagte ich ihm das auch. Aber nicht gleich, so weit waren wir noch nicht, und ich war noch geschockt von meinem Ausfall gegen den dicken Morgenfeld. Als Schüler ist man ja ziemlich feige. Mit Papierkugeln schmeißen oder auch mal eine Stunde kaputtmachen – okay. Aber den Lehrern ganz cool ins Gesicht sagen, was man von ihnen denkt, da kneift man. Papierkugeln sind ihnen wohl auch lieber.

Oder sehe ich das alles falsch? Und was sind Christophs, was meine Worte? Manchmal weiß ich wirklich nicht mehr, wo Christoph aufhört und wo ich anfange.

»Ja, also«, sagte Mathe-Mayer. »Ich bin froh, dass Sie hier sind. Sie wohnen ja in Oberried – das ist mir leider erst später eingefallen.«

Ich sagte, dass es nicht so schlimm sei. Morgen, am Samstag, hätten wir außer Mathematik nur noch Sport und Erdkunde. Ich müsste also kaum Hausaufgaben machen. Nur für ihn.

Ich grinste, so weit aufgelockert war ich schon. Er grinste zurück und sagte: »Geschenkt.«

Monika kam mit einem Tablett. Sie goss uns Kaffee ein und verschwand wieder.

»Ich habe Sie kommen lassen«, sagte Mathe-Mayer, »weil ich heute morgen – als ich Sie sitzen sah, neben dem leeren Stuhl …«

Er machte eine Pause, trank seine Tasse in einem Zug leer, stellte sie hin, dass es klirrte. Plötzlich war es sehr still. Die Sonne schien ins Zimmer, ein Brummer kam herein und ließ sich auf der Tischdecke nieder.

»Ich wollte mit Ihnen über Christoph Zumbeck sprechen«, sagte Mathe-Mayer.

Ich hatte es erwartet. Der leere Stuhl – da wusste ich, in welche Richtung es ging. Alles Mögliche hatte ich nach der Schule und auf der Fahrt hierher durchgespielt, die komischsten Variationen – auf Christoph war ich nicht gekommen. Mathe-Mayer, dieser Eisberg – die Vermutung, Christophs Tod könne ihn über die Schule hinaus beschäftigen, tauchte gar nicht erst auf.

»Ich möchte Sie etwas fragen«, sagte er. »Glauben Sie, dass es Selbstmord war?«

Ich starrte ihn an. »Warum?«, fragte ich. Mein Mund wurde wieder trocken und pappig, wie schon vorher, als das Wort im Zusammenhang mit Christoph aufgetaucht war.

»Sie waren sein Freund«, sagte er. »Sie waren dabei, als es passiert ist. Ein Unfall, heißt es. Stimmt das?«

Ich stand auf. Das hielt ich nicht aus. Ich wollte gehen.

Mathe-Mayer griff nach meinem Arm. Dabei stieß er meine Tasse um. Der Kaffee floß auf den hellen Berberteppich. Es gab einen großen braunen Fleck.

»Mist«, sagte Mathe-Mayer und wischte den Kaffee mit dem Taschentuch auf. »Bitte, Martin, bleiben Sie. Wenn Sie davon überzeugt sind, dass es ein Unfall war – okay, ein Unfall, so was passiert, dagegen kann keiner sich schützen. Aber Selbstmord – ich muss es wissen, verstehen Sie. Es ist wichtig für mich. Ich muss wissen, ob ich schuld bin.«

Er hatte wahnsinnig schnell gesprochen, und nicht so zusammenhängend, wie ich es aufschreibe. Eher in Fetzen. Unfall, Selbstmord. Wichtig. Schuld. Er schien völlig durcheinander, total am Rand. Bloß, mit mir hatte er sich nicht die richtige Figur ins Haus geholt um sich wieder aufzurichten. Ich war selbst am Rand. Mathe-Mayer mit seinen Gewissensbissen. Die hätte er eher bekommen sollen.

»Bitte, Martin, setzen Sie sich wieder hin«, sagte er.

Ich saß da, ohne ihn anzusehen, und pulte an meiner Nagelhaut. In der letzten Zeit hatte ich dauernd daran gepult. Der kleine Finger fing an zu bluten und ich steckte die Hände in die Taschen.

»Er wollte nicht mehr leben«, sagte ich. »Selbstmord oder Unfall, darauf kommt es nicht an. Er hatte es einfach satt. Warum fragen Sie mich? Sie haben ihn ja gesehen, beinahe jeden Tag. Warum haben Sie ihn nicht selber gefragt?«

· Mathe-Mayer nickte. »Sie haben Recht. Ich habe ja gemerkt, dass irgendetwas mit ihm los war. Dass sich etwas zusammenbraute.«

»Wirklich?«, sagte ich und dachte, dass ich lieber den Mund halten sollte. Doch dann war mir alles egal und ich sagte: »Man hat nämlich das Gefühl, dass Sie die Schüler überhaupt nicht wahrnehmen. Höchstens die mathematischen Formeln, die einer von sich gibt.«

Das saß. Er schob seinen Sessel zurück und trat ans Fenster. Unten im Hof spielten Kinder. Ihre Stimmen schwirrten herauf, dazwischen lautes Weinen, eine Frauenstimme begann zu schimpfen.

Monika kam herein.

»Wollt ihr noch Kaffee?«, fragte sie.

»Danke«, sagte Mathe-Mayer. »Sie, Martin?«

Ich schüttelte den Kopf.

Monika sah den Fleck auf dem Teppich.

»Hättet ihr den nicht gleich auswaschen können?«, fragte sie.

»Geh raus«, sagte Mathe-Mayer ziemlich grob.

»Na hör mal«, sagte sie und wurde rot.

»Entschuldige«, sagte er. »Wir müssen etwas besprechen.«

Sie sah mich an, zuckte mit den Schultern und verschwand wieder.

Mathe-Mayer ging zu seinem Sessel zurück.

»Weißt du, warum ich Lehrer geworden bin?«, fragte er. »Ich bin Lehrer geworden, weil ich es besser machen wollte als meine Lehrer. Ich bin ein ganz guter Mathematiker, ich hätte an der Uni bleiben oder in die Wirtschaft gehen können. Alles Mögliche. Aber ich habe 1966 zu studieren begonnen; ich war zur Zeit der Studentenrevolten an der Uni; ich dachte, man müsste etwas tun, direkt unten, an der Basis, wie es damals so schön hieß.«

Er stand wieder auf. »Magst du einen Cognac?«, fragte er und holte eine Flasche aus dem Schrank. »An der Basis. Etwas tun. Die Menschen ohne Druck erziehen. Freie, verantwortliche Menschen. Hört sich gut an, nicht? Prost.«

Wir tranken und ich sagte, dass es genau das sei, was ich mir unter einem Lehrer vorstellte.

»Klar«, sagte er. »Ganz vorzüglich in der Theorie. Aber leider hat die Basis sich tot gelacht über meine sanfte Tour. Über Tische und Bänke sind sie gegangen und gelernt hat keiner was, auch die nicht, die gern wollten. Dann haben sich die Eltern beschwert, und als der Direktor in meinen Unterricht kam um sich den Laden anzusehen, da haben sie richtig losgelegt, die lieben Kinder. Da haben sie gezeigt, wie man Referendare schlachtet.«

Mathe-Mayer goss sich noch einen Cognac ein. Den hatten sie wirklich ganz schön bedient. Dabei war seine Geschichte nicht einmal neu. Ich hatte schon öfter von solchen Schlachtfesten gehört und es immer besonders komisch gefunden. Jetzt, aus Mathe-Mayers Mund, klang es nicht komisch.

»Und dann?«, fragte ich.

»Beinahe hätten sie mich nicht zum Schuldienst zugelassen«, sagte er. »Nur weil Lehrer damals so knapp waren, konnte ich bleiben. Und da habe ich mir vorgenommen anders zu werden. Nicht mehr die menschliche Tour. Was hast du gesagt? Eisberg? Okay, Eisberg. Für irgendetwas muss man sich entscheiden. Herumbrüllen mag ich nun mal nicht. Und wer will, kann bei mir wenigstens Mathematik lernen. Ich gelte als ausgezeichneter Lehrer.«

»Bei mir nicht«, sagte ich.

»Du bist ja auch nicht gerade wild darauf, Mathematik zu lernen, soweit ich feststellen konnte«, sagte er.

Er sagte »du«, schon die ganze Zeit. Na bitte, von mir aus. Er saß auf seinem Sessel, die Beine hochgezogen, und wirkte viel jünger als sonst, mit dem wirren Haar und dem karierten Hemd. Ich mochte ihn plötzlich.

»Mir fällt Mathematik ziemlich schwer«, sagte ich. »Aber bei Christoph war das anders. Wenn Sie vielleicht ein bisschen wie früher gewesen wären, so mit der weichen Tour…«

»Dann wäre ich nicht mehr am Leben«, sagte er.

»Sie haben eben gleich aufgegeben«, sagte ich. »Genau wie wir, wie Christoph und ich.«

»Du auch?«, fragte er. »Hast du auch aufgegeben?«

»Ich weiß nicht«, sagte ich. »Nicht so wie Christoph. Bei dem war es schlimmer.«

»Bloß wegen der Schule?«, fragte er.

»Was heißt hier bloß?«, sagte ich. »Natürlich nicht bloß wegen der Schule.«

Die Frage ärgerte mich. Als ob ein Schüler bloß in der Schule säße. Komisch, überall werden dicke Bücher geschrieben, über Leben und Tod und unsere Gesellschaft und ihre Unmenschlichkeit und wie wir verschaukelt werden von allen Seiten. Die Zeitungen sind voll davon, Nachrichten gibt es jeden Tag – und dann tut man so, als ob bei einem Schüler, der heiser auf der Seele ist, das einzig und allein von der Schule kommt. Und aus eigener Schuld natürlich, weil er nicht die richtige Einstellung hat.

»So habe ich es doch nicht gemeint«, sagte Mathe-Mayer. Und ich versuchte ihm zu erklären, warum Christoph es nicht ausgehalten hat. Einmal das Leben überhaupt, diese Schussfahrt aufs Ende zu –

»Aber hör mal«, sagte Mathe-Mayer, »dass wir auf den Tod hinleben, müssen wir doch alle verkraften.« Darauf hatte ich direkt gewartet. Verkraften. Hier lag doch Christophs Problem, dass er es nicht verkraftete. Und dann das andere, wie sich das Leben abspult, das kurze Stück, das jeder nur hat. Die Heuchelei auf Schritt und Tritt, in der Politik, der Wissenschaft, der Religion. Dieses Gequatsche von hehren Gefühlen und dabei geht es bloß um Macht und Geld. Die Atombomben zum Beispiel und Superraketen, und dieses ganze verdammte Zeug. Die meisten Leute haben es bis jetzt ganz gut ausgehalten, dass es so etwas gibt. Christoph leider nicht. Er saß da und stellte sich vor, dass dies alles nur erfunden worden ist, weil irgendwelche Typen so toll in Mathematik und Physik waren, Musterschüler, richtige Darlings, sozusagen der Stolz ihrer Lehrer – und dass es herumliegt und gehegt und gepflegt und vermehrt wird, und eines Tages geht es los wie damals in Hiroshima, bloß noch schlimmer, weil man inzwischen ja Fortschritte gemacht hat – und dass darüber geredet wird wie über Käse. Wenn er daran dachte, dann konnte er heulen vor Verzweiflung. Heulen, wirklich. Ich habe es erlebt. Oder diese fürchterliche Geiselgeschichte damals zu Pfingsten, sechzig Menschen in einem Zug eingesperrt, wochenlang, bei Gluthitze, krank, mitten im eigenen Dreck, und die Angst vor dem Sterbenmüssen. Und alle Welt feiert Pfingsten, fromme Betrachtungen in der Zeitung, Autoschlangen, Friede, Freude, Eierkuchen ... »Wir müssten alle auf die Straße gehen«, hat Christoph gesagt. »Wir müssten demonstrieren von morgens bis abends, im Radio müssten sie Trauermusik spielen, das Fernsehen müsste aufhören zu senden. Aus Solidarität müssten wir das tun. Aber die gibt es ja bloß, wenn es um Lohnerhöhung geht.«

»Weil es da etwas nützt«, sagte Mathe-Mayer. »Was hätte es den Geiseln genützt?«

Ich glaube, ich habe angefangen zu brüllen.

»Nützen! Nützen! Immer bloß nützen. Weil es sowieso nichts genützt hätte, ist ja auch in der Schule kein Wort darüber verloren worden. Sie haben Ihre Mathematikstunde abgespult und der Morgenfeld seine Lateinstunde, und dann sind Sie in die Ferien gefahren.«

»Moment mal«, unterbrach mich Mathe-Mayer. »Seid ihr zu Hause geblieben?«

»Zu Hause?«, fragte ich. »Nein, wir waren in Wien.»

»Na bitte«, sagte er. »Wieso hat Christoph von uns etwas verlangt, was er ...«

»Trotzdem«, schrie ich dazwischen, weil er in diesem Punkt Recht hatte und mir das peinlich war. »Warum haben Sie nicht mal mit uns geredet? Keiner denkt daran, das es Dinge gibt, über die man sprechen müsste, dass vielleicht einer da ist, der es braucht. Wer hat denn gemacht, dass alles so ist? Wir doch nicht. Und wenn einer nicht zufrieden ist mit Ihrer herrlichen Welt ...«

»Ich habe sie auch nicht gemacht«, schrie Mathe-Mayer.

»Und wenn er es nicht aushält und kein guter Schüler ist und kein Sunnyboy, dann spinnt er eben.«

»Das habe ich nicht gesagt«, schrie Mathe-Mayer.

Wir hatten beide gebrüllt, einer lauter als der andere. Jetzt saßen wir da und starrten uns an.

»Also doch Selbstmord«, sagte Mathe-Mayer.

»Ich weiß nicht«, sagte ich.

Ich wusste es wirklich nicht.

Christoph und ich auf der Friedhofsbank, nicht weit von der Stelle, wo er jetzt begraben liegt. Am Horizont die Berge, es ist Frühling, der Flieder blüht. »Tot müsste man sein«, sagt er. »Je eher, je besser.« Und ich nicke und sage »Ja« – so, als glaubte ich daran. Und am Abend, als ich Magenschmerzen habe, bekomme ich die Panik, weil ich gerade einen Artikel über Magenkrebs gelesen habe und auf keinen Fall sterben will. Ich habe genickt, ohne zu wissen, wozu ich nicke. Ohne zu merken, dass Christoph es ernst meinte.

»Selbstmord?«, sagte ich zu Mathe-Mayer. »Nicht direkt, das nicht. Aber er ist gefahren wie jemand, dem es egal ist, was passiert.«

»Und die Musik?«, fragte Mathe-Mayer. »Sein

Klavier? Da hatte er doch etwas. Daran kann man sich doch festhalten.«

Seine Musik? Nein, die hat ihm auch nicht geholfen, jedenfalls nicht, wenn er an später dachte.

»Soll ich vielleicht Pianist werden?«, hat er gesagt. »Mich verheizen lassen im Kulturbetrieb? Abendliche Lustbarkeit liefern für Leute, die tagsüber Waffen herstellen und Flüsse kaputtmachen und vergiftete Lebensmittel verkaufen?«

»Es gibt nicht bloß solche«, sagte Mathe-Mayer. »Es gibt auch die vielen anderen, die sinnvolle Arbeit tun und die abends müde nach Hause kommen und die ein Recht haben auf ein bisschen Glanz. Für diese Leute Musik zu machen, das lohnt sich doch.«

»Christoph würde jetzt sagen ...«, sagte ich.

»Ich weiß, was er sagen würde«, unterbrach mich Mathe-Mayer. »Aber ich will es nicht mehr hören. Christoph ist tot. Ich rede mit dir.«

Wir redeten und redeten.

»Meinst du, ich kenne diese Gedanken nicht?«, sagte Mathe-Mayer. »Jeder Mensch, der denkt, muss sie doch haben.«

»Na ja«, sagte ich. »Viel ist davon nicht mehr zu merken.«

»Mag sein«, sagte er. »Vielleicht hört ihr auch nie richtig hin. Und natürlich hat man Angst, die Dinge zu deutlich beim Namen zu nennen. Man liegt da und macht den toten Käfer, jeder auf seine Weise. Weil man leben will.«

»Und der Morgenfeld?«, fragte ich.

»Solche Typen hat es zu allen Zeiten gegeben. Das hat nichts mit unserer Gesellschaft zu tun.«

»Und das hat Christoph eben auch nicht ausgehalten«, sagte ich.

Mathe-Mayer goss sich etwas zu trinken ein.

»Vielleicht hat er zu früh über all das nachgedacht«, sagte er. »Bevor er stark genug war oder reif genug, um die Widersprüche auszuhalten.«

»Reif!«, sagte ich. »Wenn ich so was schon höre!«

»Die Unvollkommenheiten und Widersprüche und Kompromisse, aus denen sich unser Leben nun mal zusammensetzt. Zusammensetzen muss, wahrscheinlich, weil es ja von uns gemacht wird, und wir sind alle widersprüchlich. Keine Idealfiguren. Oder kennst du welche?«

»Nein«, sagte ich.

»Man muss sich einen Panzer zulegen, um durchzukommen«, sagte Mathe-Mayer. »Den hatte Christoph noch nicht. Schade, dass er nicht so lange warten konnte.«

Die Pachl-Bäuerin fiel mir ein. »Er war nicht stark, dein Freund ...«

»Sie hätten mit ihm darüber sprechen sollen«, sagte ich. »Zum Beispiel, als er abgehauen war und als hinterher alle über ihn hergefallen sind.«

»Ich bin nicht über ihn hergefallen«, sagte Mathe-Mayer. »Ich habe mich rausgehalten.«

Monika kam herein und erinnerte ihn an den

Vortrag. Er stand auf und sagte, dass wir ein anderes Mal weiterreden müssten, gleich nächste Woche, wenn es mir recht sei.

Draußen im Vorraum war es dunkel. Nur durch das Glas der Wohnzimmertür fiel etwas Licht.

»Du hast Recht«, sagte Mathe-Mayer. »Ich habe eine Menge falsch gemacht. Ich habe gedacht, sich rauszuhalten, das ist die Lösung. Es ist keine. Man kann sich nicht raushalten.«

Ich muss ihn komisch angesehen haben, denn er fragte: »Ist was?«

»Ich habe genau die gleichen Worte gebraucht«, sagte ich. »Zu Christoph. Als das mit den Pennern passiert ist.«

»Wieso Penner?«, fragte er.

»Als er verschwunden ist«, sagte ich. »Vor vierzehn Tagen.«

»Die Penner waren aber unschuldig!«, sagte Mathe-Mayer.

»Unschuldig?«, sagte ich. »Wissen Sie denn gar nicht, was da noch passiert ist?«

Mathe-Mayer zögerte. Dann drehte er sich um und machte die Wohnzimmertür auf.

»Ich gehe nicht zu diesem Vortrag; so wichtig ist der auch nicht«, sagte er. »Komm, erzähl mir, was da los war.«

Wir setzten uns auf dieselben Plätze wie vorher.

»Samstag vor zwei Wochen«, fing ich an …

Samstag, der fünfzehnte September. Ich war aufgewacht, weil das Telefon klingelte. Es war ein schulfreier Samstag, ich wollte schlafen und ließ es klingeln. Ein Moment Pause, dann ging es wieder los. Zehn Uhr, meine Eltern waren in die Stadt gefahren, um einzukaufen. Wütend stand ich auf und nahm den Hörer ab.

Die Stimme von Christophs Mutter.

»Ist Christoph bei dir?«, fragte sie.

»Nein«, sagte ich.

»Er ist vor einer Stunde weggegangen«, sagte sie. »Mit dem Hund. Nur für zehn Minuten.«

»Bei mir war er nicht«, sagte ich.

»Wenn du ihn siehst«, sagte sie, »dann schicke ihn gleich nach Hause. Bevor sein Vater kommt, muss er noch den Rasen mähen.«

»Ja«, sagte ich und wollte aufhängen.

»Meinst du, er ist ins Moor gegangen?«, fragte sie.

»Weiß ich nicht«, sagte ich und begriff plötzlich, was sie meinte. »Das Moor ist ganz trocken nach diesem Sommer. Außerdem kann in unserem Moor sowieso keiner versacken.«

»Ja, sicher«, sagte sie. »Natürlich. Danke, Martin.«

Es klickte im Telefon. Ich sah sie neben der dunkelbraunen Kommode stehen, die Hand auf dem Hörer, mit diesem ratlosen Ausdruck im Gesicht, den sie hatte, wenn Christoph eine Entscheidung von ihr verlangte.

Ich rief Ulrike an.

»Ist Christoph bei dir?«, fragte ich.

»Nein. Warum?«

»Er ist seit einer Stunde mit dem Hund weg«, sagte ich. »Seine Mutter hat Angst, dass er im Moor steckt.«

»Quatsch«, sagte sie. »Wo denn? Nach dieser Hitze!«

Der Sommer war heiß gewesen. Kein Regen, das Getreide verbrannt, die Wiesen gelb und dürr, brüllende Kühe. Der Pachl-Bauer hatte vier Kälber schlachten müssen, weil das Futter nicht reichte.

»So ist das«, hatte die Pachl-Bäuerin gesagt. »Wo der Teufel einmal hingeschissen hat, da kommt er immer wieder.«

Nein, im Moor steckte Christoph bestimmt nicht, das Moor war trocken.

»Bist du noch da?«, fragte Ulrike am anderen Ende der Leitung.

»Ja«, sagte ich.

»Wollen wir hinfahren?«, fragte sie. »Ins Moor?«

»Unsinn«, sagte ich. »Was soll er im Moor? Er geht mit dem Hund immer den Birkenweg entlang und durchs Dorf und, wenn er Zeit hat, noch über die Wiesen. Wahrscheinlich ist er inzwischen zu Hause.«

Kurz nach elf rief seine Mutter wieder an.

»Immer noch nichts«, sagte sie. »Jetzt ist er schon zwei Stunden weg. Wenn sein Vater kommt ...«

»Vielleicht hat er sich irgendwo an den Waldrand gesetzt«, sagte ich. »Ich fahre mal die Wege ab.«

»Danke, Martin. Und ruf mich gleich an«, sagte sie.

Ich holte mein Rad aus dem Schuppen und fuhr den Birkenweg und am Fluss entlang und über die Dorfstraße bis an den Waldrand, alles Wege, die zu Christophs Runden gehörten. Dann fuhr ich ins Moor, zu der alten Gewittereiche und noch weiter. Nach einer halben Stunde rief ich Christophs Mutter an und sagte, dass ich ihn nicht gefunden hätte.

»Was hat er eigentlich an?«, fragte ich.

»Jeans«, sagte sie. »Und den blauen Anorak. Ein gelbes T-Shirt darunter.«

»Und Geld?«, fragte ich. »Hat er sein Postsparbuch mitgenommen?«

»Nein«, sagte sie. »Nur sein Portemonnaie. Das hat er ja immer in der Tasche. Ich weiß nicht, wie viel drin ist. Zwanzig Mark vielleicht. Denkst du denn, dass er weggelaufen ist? Hat er etwas gesagt?«

»Nein«, sagte ich. »Kein Wort. Hat er einen Ausweis?«

»Der steckt im Portemonnaie«, sagte sie. Und dann: »Das ist doch Unsinn. Er wollte bloß mit dem Hund spazieren gehen. Wenn er verschwinden wollte, hätte er doch den Hund nicht mitgenommen.«

»Haben Sie sich schon am Bahnhof erkundigt?«, fragte ich. »Ob er weggefahren ist?«

»Nein«, sagte sie und ich rief am Bahnhof an und bei Yogi und Mops. Niemand hatte ihn gesehen oder etwas von ihm gehört.

Jetzt war er schon seit drei Stunden weg.

Am Nachmittag erschien sein Vater bei uns. Meine Eltern waren inzwischen wieder da. Zu viert saßen wir im Wohnzimmer.

»Falls du irgendetwas weißt …«, sagte Christophs Vater.

»Er weiß nichts«, sagte mein Vater. »Wenn, dann würde er es doch nicht verheimlichen. Solch ernste Sache.«

Ich schwieg und dachte, dass ich bestimmt nichts verraten würde, auch wenn ich etwas wüsste. So wie Christophs Vater vor mir saß, mit dieser Selbstgerechtigkeit – der sollte ruhig schmoren. Übrigens konnte ich mir nicht vorstellen, dass Christoph wirklich abgehauen war, ohne ein Wort, ohne eine Andeutung. Er hatte so oft davon geredet – irgendwie, dachte ich, hätte er es mich merken lassen, dass es nun soweit sei.

»Mit dem Hund …«, sagte ich.

»Genau«, sagte sein Vater. »Es ist so sinnlos. Keiner, der ausrücken will, nimmt einen großen Hund mit. Das fällt sofort auf.«

»Wollen Sie nicht lieber die Polizei benachrichtigen?«, fragte meine Mutter.

»Warum die Polizei?« Christophs Vater verzog

das Gesicht. »Er ist noch nicht mal einen Tag weg. Wahrscheinlich handelt es sich nur um eine neue Provokation.«

»Ich meine bloß...«, sagte meine Mutter. »Man muss ja an alles denken.« Sie sah meinen Vater an und mich. »Hatte er Zugang zu Tabletten?«

Christophs Vater richtete sich in seinem Sessel auf – so gerade, dass er mindestens einen Kopf größer wurde.

»Wie kommen Sie darauf?«, fauchte er meine Mutter an. »Mein Sohn hat keinerlei Anlass... Es geht ihm gut, er hat ein schönes Zimmer...«

Fehlte bloß noch, dass er »und reichlich zu essen« hinzugefügt hätte.

»Ich dachte nur...«, sagte meine Mutter.

»Ich muss Sie dringend ersuchen, keine derartigen Vermutungen in die Welt zu setzen«, unterbrach er sie.

Meine Mutter beulte mit der Zunge die linke Backe aus, wie immer, wenn sie ärgerlich wird. Solche messerscharfen Typen wie Christophs Vater sind ihr sowieso zuwider und anfauchen lässt sie sich nicht.

»Ich setze überhaupt nichts in die Welt«, sagte sie. »Sie sind zu uns gekommen und ich habe mir erlaubt meine Meinung zu äußern. Von mir aus brauchen Sie sie nicht zur Kenntnis zu nehmen.«

Christophs Vater hustete. Ich glaube, er hatte nach Luft geschnappt und sich verschluckt. Von seiner Mäusefrau war er solche Töne nicht gewohnt.

»Ich finde, man sollte jede Möglichkeit in Erwägung ziehen«, sagte mein Vater. »Immerhin ist er jetzt sieben Stunden weg. Wenn wir schon dabei sind, die Dinge auszusprechen … ein Verbrechen zum Beispiel…«

Christophs Vater ließ sich in den Sessel zurückfallen. »Ein Verbrechen?«, sagte er. Es klang beinahe erleichtert. Auf jeden Fall schien ihm ein Verbrechen sympathischer zu sein als Selbstmord oder Flucht.

Ich sah das Gesicht meiner Mutter und dachte: Gleich explodiert sie. Mein Vater vermutete offenbar etwas Ähnliches. Jedenfalls sagte er hastig: »Unter diesen Umständen würde ich an Ihrer Stelle nicht zu lange warten und die Polizei informieren.«

Christophs Vater klimperte mit seinen Schlüsseln in der Tasche. Sein Gesicht veränderte sich.

»Was soll das alles?«, murmelte er. »Selbstmord … Verbrechen …«

Vielleicht begriff er allmählich, was meine Eltern meinten. Ich übrigens auch. Bis jetzt hatte ich Christoph irgendwo in der Nähe vermutet. Irgendwo sitzt er, hatte ich gedacht, am Waldrand, im Moor, denkt nach, vergisst die Zeit: einmal ein paar Stunden nichts von zu Hause sehen … Warum sollte ihm der Gedanke nicht ganz plötz-

117

lich gekommen sein, an so einem schönen Herbsttag? Einfach einen Tag wegbleiben ...

Und jetzt diese Worte. Selbstmord. Verbrechen. Das Zweite traf mich nicht. Nur das Erste. Selbstmord. Mein Mund wurde trocken. Ob es dieser Gedanke gewesen ist, der plötzlich über ihn gekommen war? Als er mit dem Hund den Birkenweg entlangging? Und den Wald sah, dunkel, groß, mit den Schonungen, dem Unterholz? Dieser Gedanke, ganz plötzlich, nach dem, was gestern passiert war?

Lateinstunde. Der dicke Morgenfeld. Wieder einmal stürzt er sich auf Christoph, lässt ihn übersetzen, einen Abschnitt, dann, als Christoph es richtig macht, den nächsten. Christoph stockt, der Morgenfeld legt ihn mit Zwischenfragen herein, Christoph antwortet nicht mehr, sitzt stumm da, sieht den dicken Morgenfeld an, sein Zumbeck-Spezial im Gesicht.

»Antworten Sie.«

Christoph schweigt.

»Schminken Sie sich Ihr Animierlächeln ab«, sagt der dicke Morgenfeld. »Sie sind hier nicht auf dem Strich.«

Es war unflätig. Sogar für den dicken Morgenfeld mit seinen schmierigen Gedanken. Diese Bemerkung – er musste sich bis aufs Blut gereizt fühlen, dass er sich dazu hinreißen ließ. Ich dachte, die Klasse würde aufschreien, ihn fertig machen. Aber es blieb still.

Christoph lief rot an. Dann wurde er weiß. Die Haut über seinem Gesicht spannte sich noch mehr als sonst.

»Das lasse ich mir nicht bieten«, sagte er.

Da lachten sie.

Nicht alle. Nein, alle nicht. Aber es reichte. Und das war das Schlimmste. Dass sie in diesem Augenblick zu dem dicken Morgenfeld hielten, obwohl sie ihn eigentlich hassten.

»Sie können sich ja beim Kultusminister beschweren«, sagte der Morgenfeld, durch den Beifall ermutigt.

Christoph schwieg. Den ganzen Vormittag schwieg er. Auch mit Ulrike und mir sprach er nicht.

»Du musst mit deinem Vater reden«, sagte ich, als wir zum Bahnhof gingen. »So was darf man sich nicht gefallen lassen. Er muss sich beschweren.«

Christoph lachte auf.

»Der? Der erklärt sich mit jedem solidarisch, der gegen mich ist«, sagte er.

»Aber…«, fing Ulrike an.

»Haltet doch die Klappe«, sagte er. »Was wisst ihr schon?«

»Dann nimm diesen Mist doch nicht so ernst«, sagte ich.

»Ihr sollt mich in Ruhe lassen«, schrie er mich an.

»Hat er zu Hause tatsächlich nichts gesagt?«, fragte Mathe-Mayer.

Ich hatte ihm die Geschichte bis zu diesem Punkt erzählt. Nicht so ausführlich – nur das Skelett: Christoph verschwunden – wir suchen ihn – sein Vater bei uns – der dicke Morgenfeld.

»Komisch, es hat ihn direkt in die Mitte getroffen«, sagte ich. »Ich weiß nicht, warum.«

»Hatte er«, fragte Mathe-Mayer, »hatte er mal was in dieser Richtung?«

»Er hatte Ulrike«, sagte ich.

»Vielleicht früher?«

»Ich glaube nicht«, sagte ich. »Es war bloß die Gemeinheit. Dass so ein Kerl ihn beleidigen konnte – und die anderen lachen auch noch – und er ist völlig wehrlos.«

»Von wegen wehrlos«, sagte Mathe-Mayer. »Wenn er sich beschwert hätte – Morgenfeld hätte ganz bestimmt einen Verweis erhalten.«

»Ach was«, sagte ich. »Bei dem Image, das Christoph hatte. Wer hätte schon zu ihm gehalten? Sie etwa?«

Jedenfalls, Christoph war verschwunden, und als sein Vater bei uns saß und das Wort Selbstmord fiel, bekam ich Angst.

Sobald es ging, fuhr ich zu Ulrike.

Sie machte mir die Tür auf. Ich erschrak, weil sie so elend aussah, blass, mit dunklen Ringen unter den Augen.

»Was ist?«, fragte sie.

»Immer noch nichts«, sagte ich und ich erzählte ihr von meinem Verdacht.

»Glaubst du, dass er …?«, fragte ich und mochte das Wort nicht noch einmal aussprechen.

»Ich weiß nicht«, sagte sie.

»Es klang tonlos«, heißt es manchmal in irgendwelchen Geschichten. Ich konnte mir nie etwas darunter vorstellen. Aber als Ulrike »Ich weiß nicht« sagte, klang es tatsächlich tonlos, wie etwas, das nicht gesagt sein will.

»Kommst du mit?«, fragte ich. »Wir könnten noch mal überall suchen.«

Wir fuhren kreuz und quer durch den Wald. Wir ließen die Räder stehen und gingen in die Schonungen. Wir suchten auf dem Boden, im Laub nach Spuren. Wir bogen Äste beiseite. Nichts. Nur ein Pärchen stöberten wir auf, das in einem Opel Rekord saß und knutschte – und zwar unser Malermeister mit der Frau vom Altwirt. Ich hatte nur an Christoph gedacht und war völlig naiv an den Wagen herangetreten, um zu fragen, ob ihnen etwas aufgefallen sei – da fuhren sie auseinander. War denen das peinlich! Wie ich die Altwirtin einschätzte, hätte sie Ulrike und mir wahrscheinlich am liebsten ein Gratisschnitzel pro Tag angeboten, nur um uns den Mund zu stopfen. Dabei war es uns völlig egal, wer da mit wem knutschte. Wir suchten gleich weiter. »Banko!«, rief ich. »Banko! Banko!« Aber der Hund meldete sich nicht.

Abends verständigte Christophs Vater die Polizei und mit den Frühnachrichten kam die Suchmeldung durchs Radio: Christoph Zumbeck, siebzehn Jahre, einsachtundsiebzig groß, sehr schlank, dunkelblonde Haare, schmales, bleiches Gesicht... In seiner Begleitung ein brauner Setter, der auf den Namen Banko hört.

Jetzt erfuhr es das Dorf.

Merkwürdig, wie schnell sich die Neuigkeit herumsprach. Es war Sonntag. Die Läden, in denen der Tratsch verbreitet wird, hatten geschlossen, und Radio hörten die wenigsten. Trotzdem wussten es alle; nicht nur die, die in der Kirche gewesen waren, wo Pfarrer Holz, der Vater von Harry Martuscheks Gisela, für den Verschwundenen gebetet hatte. Wenn ich mir vorstellte, dass es Christoph erfahren würde, drehte sich mir der Magen um. Im Übrigen nützte es nichts. Am Abend war er immer noch nicht da.

»Nun ist er weg, dein Freund«, sagte die Pachl-Bäuerin, als ich mit der Milchkanne in ihrem Kuhstall stand. »Wahrscheinlich stimmt's, was die Leute sagen, und sie haben ihn umgebracht. Bei dem Gesindel, das sich hier rumtreibt. Dem Moser, dem haben's auch schon den Heustadel angezündet ...«

Dann passierte das mit den Pennern.

Die beiden Penner waren seit etwa drei Wochen bei uns im Dorf. Ich hatte sie ein paar Mal getroffen – der eine breit und klotzig, mit einem dicken blonden Vollbart, der andere so ein mickriger Typ, klein und dürr und viel älter. Sie sahen ziemlich heruntergekommen aus, nicht gerade Vertrauen erweckend, vor allem der ältere in seinem langen Schlottermantel, mindestens drei Nummern zu groß. Die Pachl-Bäuerin erzählte mir, dass der Waldner, der Bauer neben dem stinkenden Weiher, sie in seiner Scheune schlafen ließ und dass alle sich darüber aufregten, weil man dieses Gesindel nicht im Dorf haben wollte. Aber der Waldner, sagte sie, der täte so was ja mit Fleiß. Niemand wüsste, was sie überhaupt trieben; den ganzen Tag seien sie unterwegs, zum Betteln natürlich, was sonst. Und dem Waldner, dem täten sie auch noch den Hof anzünden, grad wie dem Moser den Stadel, und recht geschähe ihm das. Bloß, die Nachbarn würden auch mit abbrennen, und darum gehörten die Kerle aus dem Dorf gejagt.

»Unglaublich, das Gerede«, sagte meine Mutter. »Warum sollten die wohl den Hof anstecken? Die sind doch froh, wenn sie eine Unterkunft haben. Und beim Moser, da haben Kinder gezündelt, das steht doch fest. Furchtbar, diese Vorurteile.«

Und ausgerechnet die beiden Penner hatten Christophs Hund gefunden.

Die Nachricht verbreitete sich ebenfalls mit Windeseile. Es war am Montag, dem dritten Tag nach Christophs Verschwinden. Die Polizei aus der Kreisstadt hatte bei unserem Bürgermeister

123

angerufen und der Bürgermeister hatte es seiner Frau erzählt und die war sofort zur Bichler mit ihrem Tante-Emma-Laden gestürzt. Meine Mutter brachte die Geschichte mit: Die Penner waren, den Hund an einem Strick, im Kloster St. Quirin aufgetaucht, das ungefähr acht Kilometer westlich von Oberried liegt, und wo jeder, der mittags klingelt, eine Suppe bekommt. Der Bruder Pförtner hatte im Radio die Suchmeldung gehört, sich die Papiere von den beiden zeigen lassen, gelesen, dass sie erst kürzlich aus dem Knast gekommen seien, und die Polizei benachrichtigt. Der Große hatte wegen Körperverletzung und Raub gesessen, der Mickrige wegen eines Sittlichkeitsverbrechens. Das passte ins Bild. Alle waren davon überzeugt: Das sind sie! Wir haben sie!

Christophs Vater war schon unterwegs, um den Hund zu identifizieren. Aber das interessierte im Dorf bereits nicht mehr. Dass es sich um Banko handelte, war jedem klar, obwohl die Steuermarke und die Leine fehlten.

»Wahrscheinlich haben sie ihn damit erwürgt, den armen Buben«, hatte die Bichler gesagt.

Abends rief Christophs Vater bei uns an. Ich war am Telefon und meine Knie fingen an zu schlottern. Jetzt, dachte ich, jetzt kommt es.

Aber er wollte uns nur mitteilen, dass man den Pennern nichts nachweisen könne.

»Der Hund hat sich schon seit Sonntag in der Umgebung von St. Quirin herumgetrieben«, sagte er. »Ein Bauer war Zeuge, wie die beiden Landstreicher ihn mit Brot gefüttert haben. Als er meinte, sie sollten das lassen, der Hund streune herum und müsste sowieso erschossen werden, haben sie gesagt, der gehöre nach Oberried, und ihn mitgenommen. Der Bauer hat alles zu Protokoll gegeben, es ist hieb- und stichfest.«

»Und Christoph?«, fragte ich.

»Es gibt noch eine andere Nachricht«, sagte er. »Christoph ist gesehen worden. Auf dem Bahnhof von St. Quirin. Er ist in einen Zug gestiegen. Der Hund wollte mit, er hat ihn weggestoßen. Darum ist der Hund auch nicht nach Hause gelaufen. Banko hat wohl gedacht, Christoph komme und hole ihn.«

»Aber warum hat er ihn überhaupt mitgenommen?«, fragte ich.

»Vielleicht hat er ihn zur Tarnung gebraucht«, sagte sein Vater. »Um uns zu täuschen.«

Ein seltsamer Laut kam durchs Telefon. Zuerst dachte ich, es liege an der Leitung. Dann begriff ich, dass Christophs Vater aufgeschluchzt hatte.

»Warum tut er uns das an?«, sagte er.

Es machte klick. Er hatte eingehängt.

Ich fuhr sofort zu Ulrike. Diesmal öffnete ihre Mutter die Tür.

»Ulrike hat sich schon hingelegt«, sagte sie. »Sie fühlt sich nicht wohl. Ich weiß nicht, ob sie morgen zur Schule kommen kann.«

Ich fragte, ob ich sie nicht kurz sehen könnte,

um ihr die letzten Neuigkeiten über Christoph zu erzählen. Aber da wurde ihre Mutter wütend.

»Lass Ulrike damit in Ruhe!«, fuhr sie mich an. »Sie hat schon viel zu viel von Christoph gehört. Ich war immer dagegen. Dieser labile Typ. Wir haben selbst genug Schwierigkeiten.«

Sie stand in der Tür, die Beine breit, die Arme ausgebreitet, so, als müsse sie mich davon abhalten, das Haus zu stürmen. Komisch, zwei Menschen, die sich so ähnlich sehen wie Ulrike und ihre Mutter – und so verschieden. Die gleiche runde Stirn und die nach oben gestupste Nase, die gleiche ovale Gesichtsform, die gleichen hellblauen Augen. Nur dass bei Ulrike alles weich ist und bei ihrer Mutter hart. Wenn ich sie beschreiben sollte, würde ich sagen: verbittert. Ist ja auch klar, nach dem, was sie mit Ulrikes Vater erlebt hat. Plötzlich alles anders, was schön war, kaputt, kein Geld mehr, nur Schulden und nicht mal einen Beruf. Sie hat, weil ja etwas geschehen musste, eine Ausbildung als Zeichenlehrerin, die sie früher angefangen hatte, zu Ende gemacht, ohne Hilfe, und Ulrike zu Hause und die vielen Sorgen. Jetzt, glaube ich, traut sie keinem mehr. Ich wollte gehen, aber da fragte sie: »Was ist denn mit ihm?«

Ich erzählte ihr das mit dem Hund und den Pennern und sie sagte: »Mein Gott, die armen Eltern.«

»Der arme Christoph«, sagte ich.

»Arm?«, sagte sie. »Natürlich, wenn er sich

tatsächlich etwas angetan hätte … So ein Junge, bis es dazu kommt, was er da durchgemacht haben muss. Aber wenn er bloß verschwunden ist, einfach abgehauen – dann ist das eine verdammte Rücksichtslosigkeit. Den Eltern gegenüber. Und auch Ulrike und dir gegenüber. Das kann man doch andern nicht antun.«

»Bei Christoph«, sagte ich, »da ist das alles nicht so einfach. Der ist eben anders.«

»Blödsinn! Wenn ich das schon höre! Anders!«, rief sie. »Ich bin auch anders. Tausend Menschen sind anders. Und die müssen sich trotzdem zusammennehmen. Meinst du, mir macht es Spaß zuzusehen, wie meine Tochter kaputtgeht?«

Sie hob die rechte Hand und ich dachte, sie würde mir eine runterhauen, stellvertretend für Christoph. Doch dann ließ sie die Hand sinken und sagte: »Was soll's. Ihr seid ja noch Kinder. Es ist zum Verrücktwerden.«

»Sie hat Recht«, sagte Mathe-Mayer, als ich ihm von diesem Gespräch berichtete. »Das macht es ja so schwer.«

»Typisch«, sagte ich. »Wenn die so genannten Erwachsenen nicht weiter wissen, verkriechen sie sich dahinter: Kinder, unreif, unerfahren. Dieser ganze Stuss. Als ob sie selber nicht auch genug Blödsinn machten. Ohne Rücksicht auf Verluste.«

»Also, du findest ebenfalls, dass Christoph ohne Rücksicht auf Verluste gehandelt hat?«, fragte er.

»Das habe ich nicht behauptet«, sagte ich. »So nicht. Nicht so total.«

»Aber in etwa?«

»Vielleicht ein bisschen«, sagte ich. »Seinen Vater, den will ich ausklammern. Aber seine Mutter. Und Ulrike. Und dann der mickrige Penner. Obwohl Christoph davon wirklich nichts wissen konnte.«

Dann erzählte ich ihm auch diese Geschichte, diese Oberrieder Horror-Story, von der ich wahrscheinlich noch träumen werde, wenn ich achtzig bin.

Am Montag hatten sie die Penner verhaftet und verhört. Die Nacht über wurden sie noch in der Zelle festgehalten, wahrscheinlich, weil irgendetwas überprüft werden musste. Dienstag ließ man sie frei. Was mich erstaunte: dass die Penner keine Ahnung von Christophs Verschwinden gehabt hatten. Das ganze Dorf redete nur davon und sie wussten nichts. Aber eigentlich braucht es einen nicht zu wundern. Sie waren Außenseiter. Ich hatte es selbst erlebt, bei unserem Kaufmann: Sie kamen herein und alles verstummte. Kein Wort mehr, bis sie wieder draußen waren. Sie kannten auch nicht die Stimmung im Dorf. Sonst wären sie sicher am Dienstag nicht zurückgekommen.

An diesem Dienstag fielen bei uns in der Schule die letzten beiden Stunden aus. Zum Glück, denn ich ertrug es kaum noch. Natürlich hatten sie auch in der Klasse nur von Christoph geredet, beziehungsweise von dem Mord an ihm. Von mir wollten sie Einzelheiten wissen – richtig gierig, am liebsten gleich eine genaue Beschreibung der Leichenteile und so weiter. Als ich ihnen sagte, die Penner wären es nicht gewesen, waren sie fast enttäuscht.

Ich hätte es wie Ulrike machen und zu Hause bleiben sollen. Jedenfalls war ich froh, als wir um elf Uhr fünfzehn gehen konnten.

Ein Junge aus der Parallelklasse, so ein Stiller, der kaum den Mund aufmacht und einen nicht löchert, nahm mich auf seinem Mofa mit. Wir fuhren die Abkürzung durch den Wald. Deshalb kamen wir nicht über die große Brücke nach Oberried hinein, sondern am anderen Ende, bei der Dorfstraße, in die auch der Friedhofsweg mündet. Dort setzte er mich ab.

»Mach's gut«, sagte er und ich ging die Dorfstraße hinunter, an den Höfen der Landverkäufer und der armen Hunde vorbei.

Als ich zum Friedhofsweg kam, sah ich eine schwarze Gruppe um die Ecke biegen – Bauern und Bäuerinnen, lauter Alteingesessene aus dem Dorf. Der Zirngiebel war dabei und der Moser, der Waldner, der Bürgermeister natürlich, auch der Pachl, sogar nüchtern. Mir fiel ein, dass der alte Oberreither gestorben war, einer von den Reichen.

»Der war ein Geiziger«, hatte die Pachl-Bäuerin gesagt, »der hätt am liebsten jeden Bissen wiedergekäut wie seine Viecher, um den ist's nicht schad.« Sie hatten ihn gehasst, weil er die Pacht für die Wiesen, die sie von ihm hatten, ständig erhöhte. Aber wenn einer starb, ging aus jedem Haus einer mit, ganz gleich, ob der Tote zu den Reichen gehört hatte oder zu den Armen.

Sie kamen auf die Dorfstraße, die Männer in ihren schwarzen Anzügen, die Frauen mit schwarzen Kopftüchern. Wie ein Millionär sah keiner aus.

Ich wartete und ließ sie vorbei. »Grüß Gott«, sagte ich zum Pachl-Bauern.

Er blieb stehen und sagte: »Jetzt haben sie die Mörder von deinem Freund wieder laufen lassen.«

»Die haben es nicht getan«, sagte ich.

Er lachte bloß. »Die? Die sind raffiniert, die lassen sich nicht erwischen. Erst dem Moser den Stadel anzünden und jetzt den Buben erschlagen. Und die Polizei, diese Deppen …«

Er räusperte sich, spuckte aufs Pflaster und trottete mit der Beerdigungsmannschaft weiter. Ich wusste, wohin sie wollten: in die Klosterwirtschaft, zum Leichenschmaus.

Vor dem Waldnerhof und dem Dorfweiher, dort, wo nach einer Biegung das Kloster auftaucht, sah ich zwei Gestalten, die uns entgegenkamen. Gleich darauf erkannte ich sie: die Penner.

Die Dorfleute hatten sie auch gesehen.

»Das sind sie, die Spitzbuben«, sagte einer, und alle stoppten, wie auf Kommando. Zusammengedrängt standen sie da, eine schwarze Mauer, gleich neben dem stinkenden Weiher. Zuerst murmelten sie noch etwas, dann wurde es still. Vollkommen still. Nur der Wind war zu hören, Hundegebell, das Vieh in den Ställen.

»Das Essen wird kalt«, sagte der Bürgermeister.

Niemand antwortete. Niemand rührte sich. Da ging er allein weiter, eilig an den Pennern vorbei in Richtung Klosterwirtschaft.

Die beiden Penner kamen näher. Ich konnte ihre Gesichter erkennen, den blonden Bart von dem Jungen, seine dicke rote Nase, die zusammengekniffenen Augen. Und daneben sein mickriger Kumpel mit dem Schlottermantel. Um die Mundwinkel herum hatte er einen gelbgrünen Ausschlag. Er schwankte. Wahrscheinlich war er betrunken.

Zwei Meter vor den Dorfleuten blieben sie stehen. »Was gibt's?«, fragte der Alte. Er hatte eine quäkige Stimme, hoch und dünn, beinahe wie ein Kind. Er grinste. Vielleicht dachte er, dass es etwas Interessantes zu sehen gäbe.

Die Bauern schwiegen immer noch. Bewegungslos starrten sie die Penner an, und ich bekam ein merkwürdiges Gefühl. So eine Spannung in der Luft, irgendetwas Gefährliches. Gleich geht es los, denkt man, gleich passiert es …

Der mit dem Bart schien es auch zu spüren.

»Komm«, sagte er zu seinem Kumpel, packte ihn am Mantelärmel und versuchte, sich an den

Dorfleuten vorbeizuschieben, zum Waldnerhof, wo sie ihre Unterkunft hatten.

»Mörder«, sagte jemand.

Es klang laut und grell in der Stille, viel lauter wahrscheinlich, als es gesprochen war. Gleichzeitig bewegte sich der schwarze Trupp ein paar Schritte nach vorn. Ich sah den Moser zum Waldnerhof rennen und mit einem Knüppel wiederkommen.

Der mit dem Bart fuhr zurück. Er sah sich um. Dann sprang er zur Seite, an den Straßenrand, wo ein Holzgatter den Weiher gegen die Straße abgrenzt. Er schwang sich darüber und lief am Weiher entlang in die Wiesen.

Der Mickrige blieb zurück. Er grinste immer noch. Vielleicht hatte er inzwischen erfasst, was hier im Gange war, und wollte mit seinem Grinsen um Gnade betteln. Das jedenfalls denke ich jetzt. An dem Tag, als es geschah, sah ich nur das Bild: Der grinsende alte Penner in seinem Schlottermantel und ihm gegenüber die schwarz gekleideten Bauern von Oberried, die plötzlich schrien und sich auf ihn stürzten, ihn zu Boden rissen, mit ihren Stiefeln nach ihm traten. Sie brüllten nicht mehr, sie waren wieder verstummt. Nur die Schreie des Alten. »Nein!«, schrie er mit seiner Fistelstimme. »Nein! Nein!« Dann wimmerte er, dann wurde er still.

Ich weiß nicht, wie lange es gedauert hat. Mir kam es endlos vor, wie in einem Traum, wenn ein schwarzer Kopf sich über einen beugt, näher und näher kommt, und man will weg und kann nicht und es hört nicht auf. Diese Bauern, der Pachl, der Mallinger, der Zirngiebel, der Moser, all die anderen, die ich kannte, die ich mit ihren Traktoren hatte fahren sehen, die das Heu von ihren Wiesen holten, die Kinder hatten, die im Gemeinderat saßen. Und die Frauen mit ihren schwarzen Kopftüchern, Frau Herbig aus dem Bäckerladen, die fette Bichler – alle. Nur der Waldner hatte sich entfernt. Ich sah ihn gehen, am Zaun entlang, und in seinem Hof verschwinden. Der Einzige, außer dem Bürgermeister, der sich schon vorher abgesetzt hatte. Aber vielleicht irre ich mich auch. Vielleicht haben nur ein paar geschlagen und getreten. Vielleicht haben die anderen nichts getan als zugesehen. Vielleicht haben einige sogar gesagt: »Lasst ihn; hört auf!« Ich weiß es nicht. Was ich sehe, ist der schwarze Haufen über dem Penner, und dann kommt ein Auto und die Gestalten laufen auseinander, die Dorfstraße entlang, nicht zum Leichenschmaus, sondern in ihre Häuser.

Der Penner lag da und rührte sich nicht. Über sein Gesicht lief Blut.

Das Auto hielt an. Ich sah, dass es der gelbe VW des Spenglers war, der erst vor kurzem unser Bad repariert hatte.

Er stieg aus und fragte, was passiert sei, und ich sagte: »Sie haben ihn zusammengeschlagen.«

»Wer?«, fragte er.

»Die aus dem Dorf«, sagte ich. »Die Bauern.«

Eine Weile sagte er nichts. Dann wollte er in sein Auto steigen und einen Krankenwagen besorgen. Aber ich hatte Angst, allein bei dem Penner zu bleiben, und sagte, dass ich telefonieren würde, und war schon weg und rannte zum Klosterwirt und rief die Polizei an. Dann lief ich zurück und nach zehn Minuten waren sie da, Krankenwagen und Polizisten und alles, was dazugehört.

»Er lebt noch«, sagte der Arzt und der Penner wurde auf eine Bahre gelegt und weggebracht – vorsichtig und schnell, wie jemand, auf den es ankommt.

Die Polizisten blieben da. Ich musste mich zu ihnen ins Auto setzen und berichten, was ich gesehen hatte. Ich wollte nicht. Aber sie quetschten mich aus und notierten die Namen, die ich nannte. Wer geschlagen habe, fragten sie immer wieder und ich sagte, dass ich es nicht wüsste. Ich wüsste nur, wer dabei gewesen sei, mehr nicht. Schließlich fuhren sie mich nach Hause. Meine Mutter machte mir heißen Tee, weil ich so schlotterte. Als sie hörte, was geschehen war, legte sie die Hände vors Gesicht und stöhnte: »Diese Idioten. Diese verdammten Idioten. Was soll man da bloß machen?«

Ich wusste es auch nicht.

An diesem Abend hatte meine Mutter eine Sitzung bei Amnesty. Ich saß vor dem Fernseher, verstand kein Wort und kroch schließlich ins Bett. Ich versuchte einzuschlafen. Es ging nicht.

9

Das alles hatte ich Mathe-Mayer erzählt. Nicht so ausführlich, wie gesagt. Aber er wusste jetzt Bescheid.

»Eine furchtbare Sache«, sagte er.

»Und dabei kannten sie Christoph kaum«, sagte ich. »Er gehörte nicht zu ihnen, es interessierte sie überhaupt nicht, ob er tot oder lebendig war. Nur die Penner, die wollten sie nicht im Dorf haben – da brauchten sie einen Grund.«

»Und den hat Christoph ihnen geliefert«, sagte Mathe-Mayer.

»Ja«, sagte ich und die Nacht war wieder da, die diesem Dienstag folgte, und ich im Bett, schlaflos, weil immer, wenn ich die Augen zumachte, die schwarzen Gestalten auftauchten. Und dann dieser Gedanke, der sich nicht beiseite schieben ließ: Christoph ist schuld.

Ich weiß, es ist blödsinnig. Was konnte er dafür, dass die Bauern durchgedreht waren. Aber wenn er nicht abgehauen wäre, hätten sie keinen Grund gehabt, durchzudrehen. Dann hätten sie den Alten nicht halb tot geschlagen. Einfach so abzuhauen, ohne ein Zeichen. Und seine Mutter, Ulrike, ich, der Penner …

Wir gehen über die Wiesen, wir sitzen am Waldrand. Christoph, die Hände über den Knien verschränkt: »Man ist doch sowieso allein. Die anderen? Was hat man mit ihnen zu schaffen?«

Und ich darauf, sein Echo: »Genau. Was hat man mit ihnen zu schaffen ...«

Jetzt war er weg und der Penner lag auf der Straße, Blut im Gesicht, und wer weiß, was noch passieren würde, bloß weil Christoph uns kein Zeichen gab. Ich wollte es ihm sagen. Ich wollte ihm sagen, dass es nicht stimmte, dass alles anders war, als wir gedacht hatten. Ich wollte hingehen zu ihm, mit ihm sprechen.

Aber wohin? Wo war er?

»Wo war er eigentlich?«, fragte Mathe-Mayer. »Im Lehrerzimmer haben sie erzählt, dass du ihn gefunden hast, und ihr hättet euch geweigert seinen Unterschlupf zu nennen.«

»Unterschlupf!«, sagte ich.

»Na schön, du weißt, was ich meine«, sagte er. »Hat die Polizei dich nicht danach gefragt?«

Gefragt war gar kein Ausdruck. »Wo – wo – wo –«, immer wieder, ich konnte es schon nicht mehr hören. Aber ich hatte Christoph versprochen nichts zu verraten und auch jetzt, nach seinem Tod, wollte ich mich daran halten.

»Wenn sie es herauskriegen, kann ich nie wieder hin«, hatte er gesagt. »Und wer weiß, was sie Achim anhängen.«

Hauptsächlich wegen Achim Lemmert hatte ich geschwiegen. Nur Ulrike wollte ich sagen, dass Christoph in Wien gewesen war.

»Ist ja gleich«, sagte Mathe-Mayer, als ich dasaß

und in die Luft guckte. »Jedenfalls, du hast ihn aufgestöbert und er ist mit dir nach Hause gefahren?«

»Das wissen Sie doch«, sagte ich. »Er saß ja am nächsten Montag schon wieder in der Schule. Und Sie haben auf ihm herumgehackt.«

»Ich hoffe, Sie haben unterwegs nicht alles vergessen, Zumbeck«, hatte Mathe-Mayer gesagt und ich hätte ihm dafür an die Kehle gehen können.

»Hat es Ihnen eigentlich Spaß gemacht, ihn zu verletzen?«, fragte ich.

Er saß in seinem Sessel und zog seine Lippen nach innen und starrte an die Wand.

»Ich weiß nicht«, sagte er. »Vielleicht war ich aggressiv an dem Morgen. Vielleicht hatte ich Krach mit Monika oder Ärger mit einem Kollegen. Ich weiß es wirklich nicht. Vielleicht habe ich ein Stück Morgenfeld in mir drin. Bist du nie zu anderen gemein?«

»Doch«, sagte ich. »Ich glaube schon. Und von dem dicken Morgenfeld sind Sie natürlich weit entfernt. Was der sich geleistet hat ...«

Am Donnerstag waren wir von Wien weggefahren, mit der Bahn, Achim hatte uns Geld gegeben. Am Montag saß Christoph wieder auf seinem Platz, zwischen Yogi und mir, zusammengekrümmt unter den Blicken der anderen.

Der dicke Morgenfeld. Da stand er vor Christoph, die Hände in den Taschen, den Bauch vorge-

137

streckt, beinahe platzend vor Triumph und Hohn.

»Guten Tag, Herr Zumbeck«, sagte er. »Haben Sie sich gut amüsiert?« Und als Christoph schwieg: »Antworten Sie gefälligst, wenn ich Sie etwas frage. Sie wissen ja wohl, dass Ihr Maß voll ist.«

Er wollte ihn provozieren und er schaffte es.

Christoph stand auf, sah den dicken Morgenfeld an und sagte: »Mit so einem wie Ihnen, Herr Morgenfeld, rede ich überhaupt nicht mehr.«

Es war hirnrissig. Ich trat ihn gegen das Schienbein und zischte: »Idiot!« Aber es war passiert. Morgenfeld hatte, was er wollte.

»Raus mit Ihnen«, brüllte er. »Raus aus meinem Unterricht. Ich werde dafür sorgen, dass Sie von dieser Schule fliegen.«

Das war am Montag gewesen, in der letzten Stunde. Christoph hatte die Klasse verlassen. Draußen wartete er auf mich. Wir fuhren nach Oberried und holten unsere Räder aus dem Unterstand und rollten den Hurler Berg hinunter, und da lag der Stein, und der Lastwagen kam, und es war alles vorbei.

Vielleicht hätte ich nicht nach Wien fahren sollen.

Vielleicht hätte ich ihn nicht holen sollen.

Vielleicht hätte ich ihn in Ruhe lassen sollen.

Möglich, dass er dann seinen Plan zu Ende gebracht hätte: weiterzufahren, irgendwohin zu fahren, nach Afghanistan oder Indien oder was immer er sich dachte: »Vor sich hinleben können«, hatte er gesagt. »Ohne Druck, ohne Ecken, nur da sein.«

Aber wahrscheinlich hätte er es nicht getan. Im Grunde, glaube ich, wollte er gar nichts. Er ließ sich zum Schluss einfach rollen.

Ich weiß nicht, wie es war. Ich weiß es wirklich nicht.

Mathe-Mayer begleitete mich zum zweiten Mal an die Tür.

»Gut, dass du da warst, Martin«, sagte er. »Es gibt eine ganze Reihe Stationen, auch wenn man schon erwachsen ist.« Er gab mir die Hand. »Eigentlich bin ich ja gar nicht viel älter als du. Elf, zwölf Jahre, was heißt das schon. Kommst du wieder?«

Ich nickte. Ich ging die Treppe hinunter, über den Innenhof mit den Kastanien, am Springbrunnen und dem Spielplatz vorüber. Es dämmerte schon. Die Kinder waren nicht mehr da. Aus den Fenstern roch es nach gebratenem Fleisch.

Ich fand es auch gut, dass wir miteinander gesprochen hatten. Und dass wir weitermachen wollten. Vielleicht würde ich beim nächsten Mal von Wien erzählen.

10

Es war schon fast dunkel, als ich von Mathe-Mayer nach Hause kam. Im Garten brannten die Laternen. Meine Mutter war dabei, den Tisch zu decken.

»Endlich«, sagte sie. »Dein Vater ist schon seit einer Stunde hier.«

Freitag. Ich hatte es ganz vergessen. Ich sah ihn im Garten und ging zu ihm. Er stand an der Weide, mit irgendetwas in der Hand, das in ein Tuch gewickelt war.

»Na, wie geht's dir, Sohn?«, fragte er.

Er war die ganze Woche weggewesen, hatte also von Christophs Tod nur durchs Telefon gehört. Wahrscheinlich hatten meine Mutter und er, gerade bevor ich aufgetaucht war, den Unfall besprochen – das heißt, hauptsächlich über mich und wie weit ich davon betroffen wurde. Ich sah es ihm an und wäre am liebsten weggelaufen, aus Angst, dass er davon anfangen könnte.

»Ich habe etwas mitgebracht«, sagte er und holte eine kleine Plastik aus dem Tuch – ein Fisch, oder eher ein Fischgerippe aus gebogenen Metallstäben, teils schwarz, teils bronzefarben.

»Hübsch, nicht?«, sagte er.

»Sehr«, sagte ich.

»Ich habe es dem Kurz abgekauft«, sagte er. »Es ist ein Wasserspeier. Hier kann ein dünner

Schlauch eingeführt werden und aus den beiden Augen kommt dann Wasser. Wir stellen ihn unter die Weide, dort ist der Boden zu trocken im Sommer.«

»Was hat er denn gekostet?«, fragte ich.

Er winkte ab. »Ist doch egal. Der Kurz freut sich über jedes Stück, das er verkauft.«

Der Kurz – das ist einer seiner Kollegen von früher. Ein Bildhauer, der Bildhauer geblieben ist und, wie mein Vater behauptet, langsam, aber sicher verhungert.

Er stellte den Fisch unter die Weide und ging ein paar Schritte zurück.

»Sieht gut aus, nicht?«

Ich nickte.

»Wie das mit dem Kurz noch enden soll«, sagte er. »Mit fünfzig muss man doch allmählich merken, ob man Erfolg hat oder nicht.«

»Aber der Fisch ist schön«, sagte ich. »Was heißt Erfolg? Einer, der so was macht ...«

Ich glaube, er verstand, was ich meinte.

»So so?«, sagte er. »Aber das Essen schmeckt, wie?« In diesem Moment erschien meine Mutter in der Terrassentür und rief: »Essen!«

Es gab Schnitzel. Freitags, wenn mein Vater nach Hause kommt, gibt es immer etwas Gutes.

Der Esstisch stand am Fenster. Wir sahen auf die Weide mit dem Fisch und meine Mutter sagte: »Wirklich hübsch, so im Laternenlicht. Hoffentlich hast du nicht zu viel dafür bezahlt?«

141

»Und du?«, gab mein Vater zurück. »Die ganzen Stunden bei Amnesty. Wenn du das in Geld umrechnest . . .«

»Es ist übrigens die gleiche Technik wie bei der kleinen schwarzen Figur da oben«, sagte meine Mutter schnell, um zu verhindern, dass mein Vater ihr auch noch »Und dafür musst du dann die halbe Nacht mit deinen Farben spielen«, unter die Nase rieb.

Wir alle sahen die kleine schwarze Figur an. Sie stand auf dem Regal – eine Frau, die ihre Arme ausstreckt. Auch nur ein Gerippe, wie der Fisch. Und trotzdem eine Frau.

Es war eine von Vaters Arbeiten. Er hatte ja nicht nur große Steinplastiken gemacht, sondern auch viele kleine Sachen aus allem möglichen Material: Holz, Metall, Ton.

Einiges davon stand noch bei uns in der Wohnung. Die Holzfiguren mochte ich am liebsten – eine Frau mit einem Buch auf den Knien oder ein Junge, der Flöte spielt. Er hat einen Fuß nach vorn gestellt, so, als ob er ginge, und jedes Mal, wenn ich ihn ansah, sah ich gleichzeitig die Wiese, durch die er schritt – den Bach, Weiden daneben, Wolken am Himmel. Das alles war in der Figur, die mein Vater aus einem Stück Holz geschnitzt hatte. Er konnte so viel, mein Vater. Und jetzt lief er herum mit seinen Schaltern und kaufte dem Kurz aus Mitleid einen Fisch ab.

»Ganz schöne Sachen hast du früher gemacht«, sagte ich.

Ich hätte mir selbst ins Gesicht spucken können. Aber ich sagte es trotzdem.

Mein Vater sah mich an.

»Findest du?«, fragte er.

»Du hattest wirklich was drauf«, sagte ich. »Wenn ich so was könnte …«

»Was dann?«

»Dann würde ich nicht mit Elektrokram durch die Gegend ziehen.«

»Sei doch still, Martin«, rief meine Mutter.

»Möchtest du lieber den Kurz als Vater?«, fragte er.

»Vielleicht«, sagte ich.

»Martin!«, rief meine Mutter wieder.

Mein Vater blickte auf seinen Teller.

»Na schön«, sagte er. »Es ist dein gutes Recht zu denken, was du willst. Man ändert sich übrigens im Lauf der Zeit. In dreißig Jahren denkst du vermutlich anders.«

Seine verdammte Gelassenheit machte mich wild. Da saß er, sein Schnitzel vor sich, nicht aus der Ruhe zu bringen.

»Hoffentlich nicht«, sagte ich.

Mein Vater legte seine Gabel hin.

»Du willst mich verletzen«, sagte er. »Wahrscheinlich bin ich nicht der Vater, den du dir vorstellst. Keine Ideale und so weiter. Aber du verletzt mich nicht. Du kannst mir nichts sagen, was

143

ich mir nicht schon selbst gesagt habe. Ich habe dies alles ausgefochten, wenn du es genau wissen willst. Ich bin mir eines Tages klar über mich geworden: über meine Begabung und ihre Grenzen. Und ob meine Begabung es wert ist, dass ich meine Familie verkommen lasse. Ich habe sie gewogen und zu leicht befunden und in Ehren mein Brot verdient. Und jetzt will ich in Ruhe essen.«

Er griff nach seiner Gabel und spießte ein Stück Fleisch auf. Aber sein Gesicht war nicht so gleichmütig wie seine Worte. Ich merkte, dass ich ihn getroffen hatte, und ich fand mich gemein. Ich hätte gern etwas gesagt, ich wusste nur nicht, wie ich es anfangen sollte.

»Was ist nur mit dir los, Martin?«, sagte meine Mutter traurig.

»Lass ihn«, sagte mein Vater. »Er hat ja in gewisser Weise Recht.«

Ich hielt es nicht mehr aus und sagte, dass ich noch weggehen müsse.

»Wieso?«, fragte meine Mutter. »Wohin? Du warst den ganzen Nachmittag weg und hast keinen Strich gearbeitet. Wo warst du überhaupt?«

Ich antwortete nicht. Sie wusste, dass ich nicht antworten würde. Ich legte keine Rechenschaft mehr ab, da konnte sie lange warten. Aber fragen musste sie, das gehörte zu unserem Ritual.

»Bleib doch hier«, sagte sie. »Tu doch noch was.«

»Ich habe nichts mehr zu tun«, sagte ich. »Und es ist Freitag.«

Freitag war der Tag, an dem wir immer gemeinsam Musik gemacht hatten, Christoph, Ulrike und ich.

»Kommst du heute Abend?«, hatte Ulrike mich gefragt, als wir zusammen von der Schule zum Bahnhof gegangen waren.

»Aber...«, hatte ich gesagt.

Ich spielte Gitarre, Ulrike Geige. Wie sollten wir ohne Christoph zusammen musizieren?

»Ich kann auch ein bisschen Klavier spielen«, sagte Ulrike. »Wir können es versuchen. Und wenn es nicht geht, dann hören wir eben Platten.«

»Wenn du meinst«, sagte ich.

Freitagabend ohne Christoph. Musik ohne Christoph. Ich wusste nicht, wie ich das aushalten sollte. »Wenn das auch vorbei ist...«, hatte Ulrike gesagt und ich hatte versprochen, dass ich kommen würde.

»Wollt ihr Musik machen?«, fragte meine Mutter. »Aber...«

Sie sprach den Satz nicht zu Ende, genau wie ich.

»Lass ihn gehen«, sagte mein Vater. »Er weiß schon, was er tut.«

»Er weiß es nicht«, sagte meine Mutter. »Wenn er es wüsste, würde er sich endlich zusammennehmen.«

Nicht einmal jetzt konnte sie es lassen.

Mein Vater stand auf und holte ein Buch.

»Hier«, sagte er. »Da steht etwas, das muss ich euch vorlesen: Die heutige Jugend ist von Grund auf verdorben. Sie ist böse, gottlos und faul. Sie wird niemals so sein wie die Jugend vorher und es wird ihr niemals gelingen, unsere Kultur zu erhalten. – Wisst ihr, woher das stammt? Von einer Tontafel aus Babylon, aufgeschrieben vor etwa dreitausend Jahren.«

Er legte das Buch hin.

»Und wir haben immer noch so etwas wie Kultur. Zwar nicht die babylonische, aber immerhin.«

Er nickte mir zu und ich nickte zurück. Wirklich, es tat mir Leid, dass ich so gemein zu ihm gewesen war.

11

Der Weg zu Ulrike. Die Beleuchtung an meinem Rad funktionierte seit ein paar Wochen nicht, ich war die ganze Zeit ohne Licht gefahren. Jetzt, nach Christophs Unfall, hatte ich Angst davor. Obwohl es später war als sonst und Ulrike wartete, ließ ich das Rad stehen und ging zu Fuß.

Der Weg zur Ulrike, am Fluß entlang, über die

kleine Brücke. Wie oft waren wir hier gegangen, Christoph und ich, seitdem wir sie in Sankt Florian getroffen hatten. Das heißt, so oft auch wieder nicht, wenn man anfängt zu zählen. Was sind schon vier Monate. Aber mir kam es vor wie tausendmal.

Allein die Ferien, diese langen Sommerferien, als wir sie jeden Tag abholten um zum Baden zu gehen oder ins Moor. Wir waren alle drei nicht weggefahren: Christoph, weil er nicht durfte, ich ihm zuliebe und Ulrike hatte behauptet, sie müsse für das Solo im Weihnachtsoratorium üben, das sie in der Klosterkirche spielen sollte. Aber auch sie war hauptsächlich wegen Christoph dageblieben. Sie glaubte ja, dass sie zusammengehörten, genau wie ich.

Ich weiß nicht, ob Christoph sich freute, dass wir bei ihm blieben. Er nahm es hin. Er war deprimiert, total down, wegen der verpatzten Schottlandreise. Wahrscheinlich wäre er seinem Vater an die Gurgel gegangen, wenn er aggressiver gewesen wäre. So rächte er sich auf seine Art, er schwieg. Sprach zu Hause überhaupt nicht mehr und brachte seinen Vater damit so zur Raserei, dass er gleich nach Ferienbeginn einen Kreislaufkollaps bekam und zur Erholung in ein Sanatorium ging.

Christoph sagte nichts. Aber ich freute mich, dass er weg war und wir ein paar gemütliche Wochen hatten. Auch meine Eltern waren weggefahren, mit dem Caravan nach Italien, zum ersten

147

Mal ohne mich. Ich glaube, meine Mutter begriff, dass wir für einige Zeit aus unserem Clinch heraus mussten. Obwohl sie sich natürlich Sorgen machte, von wegen Ernährung und genügend Schlaf. Bis mein Vater sagte: »Hör endlich auf. Wir haben ja Besen und Schaufel, damit können wir sein Skelett zusammenkehren.«

Jedenfalls, die Ferien wurden auch ohne Schottland schön. So was von Sommer! Jeden Tag Sonne, Sonne, Sonne, und der Fluss warm wie ein geheiztes Schwimmbad. Baden, mit der Strömung treiben, am Ufer liegen. Und der Sonnenuntergang im Moor, bei der alten Gewittereiche, deren eine Hälfte grün und ausladend, die andere verdorrt und tot ist. Dort saßen wir, grillten Würstchen und ließen es Abend werden. Erst einen Monat ist es her. Das Moor weit und still, die Klosterglocken läuten, Ulrike sitzt da, an den Stamm gelehnt, Christophs Kopf in ihrem Schoß, der Hund daneben. Der Hund ist immer dabei. Und ich. Ich sehe Christoph an, so dicht bei Ulrike, und Ulrike mit diesem Ausdruck im Gesicht, den sie immer hat, wenn er in der Nähe ist, und ich denke: Eigentlich müsste er glücklich sein.

Christoph und Ulrike. Nein, neidisch bin ich nicht gewesen. Es war so selbstverständlich, dass sie zu ihm gehörte. Ich dachte nur, er müsste glücklich sein. Und dass ich es wäre an seiner Stelle.

Damals hatte er mir noch nicht gesagt, dass es nichts nützt.

Jetzt ging ich allein zu Ulrike, und Christoph gab es nicht mehr. Auch der Sommer war vorbei. Es war noch nicht kalt, aber vom Fluss und aus den Wiesen stieg Nebel auf. Ich hatte meinen Parka angezogen, zum ersten Mal wieder.

Am Ende der kleinen Brücke kam sie mir entgegen. Ich sah sie, als sie aus der Dunkelheit in das Licht der Bogenlampe trat. Sie hatte Jeans an und einen langen weißen Pullover darüber.

»Ich habe bei euch angerufen«, sagte sie. »Du warst schon unterwegs.«

»Es ist ziemlich spät geworden bei Mathe-Mayer«, sagte ich.

»Macht nichts«, sagte sie. »Ich wollte sowieso noch mal an die Luft.«

»Also komm«, sagte ich.

Aber sie blieb bei der Brücke stehen.

»Ich glaube, ich kann heute doch keine Musik hören«, sagte sie. »Lass uns lieber spazieren gehen.«

Wir gingen am Fluss entlang, bis zu dem Weg, der auf den Schlossberg führt. Irgendwann soll oben eine Burg gestanden haben. Jetzt gibt es nur noch ein paar Mauerreste und ein Holzhaus mit einem Garten, wo man im Sommer Kaffee trinken kann. Früher, als uns so was noch Spaß machte, sind wir im Winter den Weg hinuntergerodelt, immer mit der Angst, im Fluss zu landen.

Während wir den Schlossberg hinaufstiegen, erzählte ich ihr von dem Nachmittag bei Mathe-

Mayer. So fingen wir endlich an über Christoph zu sprechen. Seit seinem Tod waren wir noch nicht dazu gekommen oder hatten uns gescheut es zu tun. Nur die paar Worte nach der Beerdigung. Nicht einmal, dass ich ihn aus Wien geholt hatte, wusste sie.

»Er war in Wien«, sagte ich.

Plötzlich hatte ich es gewusst, damals am Dienstag, nachdem sie den Penner zusammengeschlagen hatten und ich im Bett lag und nicht schlafen konnte: Wien. Wenn er noch lebte, dann war er in Wien. Bei Achim. Oder war zumindest dort gewesen und hatte Spuren hinterlassen.

Was ich von diesem Moment an tat, geschah wie bei einem Computer, der einen Befehl erhält und sein Programm abspult. Ich sah auf die Uhr. Es war kurz nach zehn. Meine Mutter, das wusste ich, würde nicht vor halb zwölf zurück sein. Ich rief den Bahnhof in München an. Der nächste Zug nach Wien fuhr dreiundzwanzig Uhr zweiunddreißig. Zweiundzwanzig Uhr fünfundvierzig ging eine S-Bahn von Oberried nach München. Sie brauchte fünfunddreißig Minuten, ich konnte es schaffen. Ich zog mich an, packte ein paar Sachen ein, holte meinen Ausweis und mein Geld aus der Schublade, fast hundertfünfzig Mark, die ich seit meinem Geburtstag nicht zur Bank getragen hatte.

Dann schrieb ich einen Brief an meine Mutter. Ich schrieb, das ich glaubte zu wissen, wo Christoph sei und dass ich versuchen wollte, ihn nach Hause zu holen. Sie sollte mich in der Schule irgendwie entschuldigen und sich nicht sorgen. In drei Tagen spätestens würde ich zurückkommen und vorher noch anrufen. Zum Schluss schrieb ich: »Es muss sein. Bitte habe einmal Vertrauen, dass ich es richtig mache. Und sage niemand etwas, bevor wir wieder da sind.«

»Niemand« unterstrich ich dick. Ich war sicher, dass meine Mutter nichts unternehmen würde. In Notfällen konnte man sich auf sie verlassen.

Ich schrieb noch »Danke« unter den Brief, fuhr zum Bahnhof und nach München und stieg in den Wiener Zug. Keiner, der mich kannte, hatte mich gesehen, auch bei der Passkontrolle an der Grenze gab es keine Schwierigkeiten. Morgens um sieben kam ich in Wien an.

Wenn ich jetzt darüber nachdenke, begreife ich nicht, wieso mir alles so klar war. Einfach loszufahren, nur auf Verdacht! Schließlich gehörte Achim Lemmert nicht zu den sesshaften Typen. Er hätte ebenso gut in Berlin oder in Paris oder sonstwo sein können. Aber der Gedanke kam mir gar nicht. Ich fuhr zu Achims Haus und nicht einmal vor seiner Wohnungstür hatte ich Zweifel. Ich wusste, er würde an die Tür kommen. Und er kam.

Da stand er in seinem gestreiften Pyjama, ziemlich verschlafen, und sagte: »Was? Du auch noch?«

»Ist Christoph hier?«, fragte ich.

»Ja«, sagte er und ich folgte ihm in die Wohnung.

Wir setzten uns an den Küchentisch. Achim machte Kaffee und hörte sich meine Geschichte an. Ich erfuhr, dass Christoph erst seit Dienstag bei ihm war, noch keine vierundzwanzig Stunden. »Ich war verreist«, sagte er. »Und als ich gestern Mittag mit meinem Koffer durch den Hausflur ging, hat mir die Hausmeisterin erzählt, dass einer von den jungen Herren aus Deutschland ein paar Mal nach mir gefragt hätte, und sie hätte ihm gesagt, dass ich bestimmt am Dienstag nach Hause käme. So gegen sechs stand er dann vor der Tür.«

»Hat er gesagt, dass er abgehauen ist?«, fragte ich.

»Kein Wort«, sagte Achim. »Ich habe auch nicht gefragt. Er war halb verhungert und sah aus, als ob er ein paar Nächte im Freien zugebracht hätte. Ich habe ihm was zu essen gegeben und Badewasser eingelassen und er ist zu Bett gegangen. Was soll man da noch fragen.«

»Und was hast du gedacht?«

»Dass er es sich schwer macht«, sagte Achim. »Lass ihn schlafen. Nachher kannst du ja versuchen ihn wieder nach Hause zu kriegen.«

Er gab mir die Zeitung und ich ging auf den Balkon. Ich las und sah auf die alten Bäume und dachte daran, wie schön es gewesen war beim ersten Mal, hier draußen in der warmen Nacht, und dass es wahrscheinlich nie wieder so schön werden würde.

»Warum musste er so sein?«, fragte Ulrike.

Wir standen oben auf dem Berg, vor der Tür des Restaurants, die mit zwei gekreuzten Balken verrammelt war. Wir gingen daran vorbei und setzten uns auf eine der alten Mauern. Unten lag das Dorf, mit den Straßenlaternen, den hellen Fenstern, den Nebelbänken über dem Fluss und den Wiesen. Hier oben war es trocken und auch wärmer.

»Warum musste er so sein?«, fragte sie und ich erzählte ihr, wie es gewesen war, als er in Wien zu mir auf den Balkon kam und mich sah, und sein Gesicht dabei, erschrocken und erleichtert zugleich. Und wie er zuerst nicht mit nach Hause fahren wollte, auf keinen Fall, und wie ich immer wieder von dem Penner anfing und von Ulrike und von seiner Mutter, und wie er schließlich »Ja« gesagt hatte. Damit nicht noch mehr passierte.

»Und bestimmt ist er auch deinetwegen mitgekommen«, sagte ich. »Irgendwie hatte er doch ein schlechtes Gefühl, dass er abgehauen ist.«

Ich wollte sie trösten. Deshalb erzählte ich ihr nichts von dem Gespräch auf dem Kahlenberg, bei dem er mir gesagt hatte, dass sie mit ihm geschlafen hätte. Weil sie ihm helfen wollte. Und dass es nichts genützt hätte.

»Vielleicht wäre er jetzt anders geworden«, sagte ich und sah Ulrike an, die neben mir auf der

Mauer saß, vornübergebeugt, die Hände zwischen den Knien.

»Ich weiß nicht«, sagte sie. »Vielleicht.« Und dann: »Ich glaube, es ist gut, dass er tot ist.«

»Gut?«, fragte ich.

»Für ihn«, sagte sie. »Es war alles zu schwierig. Er schaffte es nicht.«

Sie drehte mir den Kopf zu und sah mich an.

»Weißt du, warum er weggelaufen ist?«, fragte sie.

»Weil er es nicht mehr aushielt«, sagte ich. »Mit seinem Vater. Und dem dicken Morgenfeld. Wegen allem, was er sollte und nicht wollte.«

»Das ist nur die Hälfte«, sagte sie und blickte auf ihre Hände. »Wir haben zusammen geschlafen.«

»Ich weiß«, sagte ich. »Er hat es mir erzählt. In Wien.«

»Auch, dass ich glaubte, ich kriegte ein Kind?«, fragte sie und ich dachte: O Gott, das kann doch nicht wahr sein.

»Ich habe es wirklich geglaubt«, sagte sie. »Und er hat regelrecht durchgedreht. Er hatte Angst vor seinem Vater und wusste nicht, wie er da raus sollte. Und dann war er verschwunden.«

Sie hatte laut und deutlich und nüchtern gesprochen, als ob sie das alles nichts anginge. Als sie fertig war, hörte ich, wie hastig sie atmete, und dann steckte sie ihren linken Zeigefinger in den Mund und biss darauf herum. Sie weinte. Klar, wo sie sowieso so leicht weint.

Ich holte ihr den Finger aus dem Mund und nahm ihre Hand und hielt sie fest, genau wie nach der Beerdigung.

»Ich hatte mich geirrt«, sagte sie. »Aber es war schon zu spät.«

Wir saßen da und ich hielt ihre Hand.

»Hättest du das getan?«, fragte sie. »Einfach so weglaufen und mich allein lassen?«

Ich merkte, wie ich rot wurde, und war froh, dass es dunkel war.

»Ich weiß nicht«, sagte ich.

»Bestimmt nicht«, sagte sie. »Ich konnte doch auch nicht weglaufen. Natürlich ist es schlimm. Aber doch keine Katastrophe. Man kann doch darüber reden, sich klar werden, was man tun will. Aber einfach abhauen ...«

Sie hatte ihren Kopf zurückgelegt. Ihr Gesicht war ein heller Kreis in der Dunkelheit.

»Ich glaube, ich wäre nicht abgehauen«, sagte ich und kam mir wahnsinnig dämlich vor.

»Nein«, sagte sie. »Aber er hat es nicht geschafft. Es war alles zu schwierig für ihn.«

Wir saßen auf der Mauer und ich hielt immer noch ihre Hand. Ich hätte sie gern gestreichelt und traute mich nicht und fuhr nur ein paar Mal mit dem Daumen hin und her. Eines Tages, das wusste ich, würde ich es tun. Ich war mir so sicher – wie am Dienstagabend, als ich wusste, dass Christoph in Wien war. Ich würde es tun, Ulrike und ich gehörten zusammen, und ich würde keine Angst haben, bei ihr nicht. Ich war so traurig gewesen und jetzt war ich froh.

12

Als ich die Haustür aufschloss, stürzte meine Mutter aus ihrem Zimmer.

»Es ist zwölf«, sagte sie.

»Ich weiß«, sagte ich.

»Wo warst du?«, fragte sie.

»Bei Ulrike«, sagte ich.

»Ich habe dort angerufen«, sagte sie. »Ihr wart nicht da.«

»Wir sind spazieren gegangen«, sagte ich »Wir mussten miteinander reden.« Und dann ging ich plötzlich zu ihr hin und nahm sie in den Arm und sagte: »Mama, reg dich doch nicht so auf. Es wird alles gut.«

Sie sah mich an und öffnete den Mund, als ob sie etwas sagen wollte. Aber sie machte ihn wieder zu und legte den Kopf an meine Schulter. Ich war ein ganzes Stück größer als sie.

»Es ist alles so schwierig, Martin«, sagte sie. »Ich möchte so gern alles richtig machen.«

»Ich weiß«, sagte ich.

Sie hob den Kopf.

»Wirklich?«, fragte sie.

Dann streckte sie den Arm aus und fuhr mir durch die Haare und lachte. Sie sieht viel jünger aus, wenn sie lacht, richtig hübsch.

»Du musst öfter mal lachen, Mama«, sagte ich.

Am nächsten Morgen wachte ich schon um Viertel nach sechs auf, eine halbe Stunde zu früh. Ich hatte vergessen die Läden zu schließen und sobald es hell wird, kann ich nicht mehr schlafen.

Ich lag im Bett, mit offenen Augen, die Hände unter dem Kopf, und sah in mein Zimmer. Der Schreibtisch vor dem Fenster, der eingebaute Schrank, das Bücherregal. Und daneben dies Ungetüm von Kredenz oder wie man so ein Ding nennt, das ich mir aus dem Keller geholt und rot angestrichen hatte. Der ganze Krimskrams aus den letzten Jahren lag darin. Ein paar von den vielen Schiffen zum Beispiel, die ich gebaut hatte. Mit zwölf war ich wild auf Schiffe gewesen. Stundenlang konnte ich daran herumfummeln, ganze Sonntage. Dann war es plötzlich aus damit und Elektronik kam an die Reihe. Verstärker, Klingelanlagen und so weiter, bis mich auch das eines Tages anödete, halbfertig herumgammelte und meine Mutter zu Kommentaren über meine Unbeständigkeit veranlasste. Aber ich hatte keine Lust mehr zum Basteln. Ich las viel, ein Buch nach dem andern, und dann ging es mit der Musik los. Das Tonband auf der Kredenz, der Plattenspieler. Und die beiden Gitarren über meinem Bett. Die alte, mit der ich angefangen habe, und die neue aus Palisander. Ein Klang, von dem man ganz high wird, so schön ist er. Ich habe sie zu Weihnachten bekommen und konnte gar nicht glauben, dass sie mir gehörte. Ich lag da und dachte vor mich hin, an den Abend gestern, an den dunklen Weg am Fluss entlang; Ulrike und ich auf dem Schlossberg, der Weg zurück, und wie wir uns Auf Wiedersehen gesagt hatten an der Gartentür. Und an Christoph und alles, was zu Christoph gehörte.

Ich stand auf, wusch mich, zog mich an, machte mir Frühstück. Als meine Mutter erschien, war ich schon fertig.

»Der Morgen ist so schön«, sagte ich schnell und verließ das Haus. Ich holte mein Rad aus dem Schuppen und fuhr die Dorfstraße entlang zum Friedhof.

Im Osten, hinter dem Moor, war der Himmel noch rot und durch das grausilberne Schilfgras ging der Wind. Ich traf ein paar Frauen, die aus der Messe im Kloster kamen, sonst war die Straße leer.

Dann stand ich an Christophs Grab, das ich vorher nur als Grube gesehen hatte, mit der Maus darin. Jetzt war es ein Hügel voller Kränze – Rosen, Nelken, Chrysanthemen und Tannengrün. »Von deinen Lehrern«, las ich auf einem weißen Seidenband. »Von deinen Mitschülern« auf einem anderen.

»Christoph«, sagte ich. Ich hätte so gern noch

einmal mit ihm gesprochen, ihm gesagt, was geschehen war in diesen letzten Tagen.

Aber vielleicht würde er es gar nicht hören wollen.

Vom Turm der Klosterkirche schlug es halb acht. Ich drehte mich um und ging.

Rainer M. Schröder

Das Geheime Wissen des Alchimisten

Oktober 1705: Wer ist der Mann, den Johanna in den Gassen Kölns vor seinen zwielichtigen Verfolgern gerettet hat? Er nennt sich Kopernikus Quint, besitzt einen Lederbeutel voller Golddukaten und eine Reisetasche mit geheimnisvollen Büchern und Glasbehältern – ist er etwa ein Magier oder gar ein Goldmacher?
Johanna versteckt den schwer verwundeten Fremden im Narrenhaus ihres Stiefvaters – und bringt ihn damit in neue Gefahr …
An der Seite von Kopernikus Quint, der sie in das geheime Wissen der Alchimie einweiht, wird Johanna erfahren, dass das edle Metall Gold in den Menschen höchst unedle Absichten weckt. Und sie wird die düstere Welt ihres Stiefvaters verlassen, um im fernen Dresden der Entdeckung jenes Stoffes beizuwohnen, der noch heute als »weißes Gold« bekannt und begehrt ist.

496 Seiten. Gebunden.
Für Jugendliche und Erwachsene

Arena